D0267693

Ringtones, ouders & andere r@mpen

In deze serie zijn verschenen:

* Ringtones, ouders & andere r@mpen
* Webcams, vriendjes & andere r@mpen

Ringtones, ouders & andere r@mpen

Marlies Slegers

Nur 283 / GGP021001

Opmaak binnenwerk: Mirjam Patberg (Ruig)

www.kluitman.nl

Bij Koninklijke Beschikking
Hofleverancier

Teen star!

Fleur Flower – tien jaar oud, maar over een paar weken alweer elf – staarde opgewonden naar de poster. Rondom haar stonden klasgenoten en kinderen uit de andere groepen.

'...vet, **Teen Star**!'

'...durf ik nooit...'

'...gaan we samen zingen! Of dansen, of...'

'...word je zomaar een ster! Beroemd...'

'...megacool. En kom je in alle shows!'

'...echt onzin, dat soort shows...'

Overal stonden kinderen uitgelaten met elkaar te praten.

Fleur stootte haar hartsvriendinnen Kaat en Frederique aan. 'Maar dat is geweldig! Daar moeten we aan meedoen. Ik heb altijd al beroemd willen zijn.' Ze wees naar de poster.

'Meedoen? Wij?' Frederique keek Fleur vragend aan. Haar rossige krullen sprongen speels voor haar sproeterige gezicht. 'Als wat? Dansende meloenen of zo? Wat kunnen wij nou?'

'Zingen! Als band natuurlijk.' Fleur keek haar enthousiast aan. 'Kom op, wanneer krijg je zo'n kans nou? Wij drieën naar Teen Star!'

Teen Star was zo cool; het was dé hit op tv. Iedereen wilde meedoen. Als je tussen de tien en vijftien was, mocht je dansen, zingen, een instrument bespelen, acteren of gewoon iets doen waar je erg goed in was. En als je de beste was, werd je uitgeroepen tot Teen Star van het jaar én won je:

- een reis naar Disneyland met het hele gezin (en als Fleur won, moest haar broer Tijn wel echt heel erg aardig gaan doen, anders kon hij lekker thuisblijven);
- een eigen televisieoptreden (aaaaah! Fleur kreeg het er warm van);
- gastoptredens in andere shows;
- reportages in allerlei bladen.

Fleur was dol op zingen. Als kleuter deed ze, met de stofzuiger als microfoon al alsof ze een nummer 1-hit had. En iedereen zei altijd dat ze een goede stem had. In schoolmusicals kreeg ze vaak een grote rol. Kortom, besloot Fleur Flower, alle reden om mee te willen doen.

Ze keek stiekem naar haar klasgenoot Sven, die schuin achter haar stond en de poster ook aandachtig las. Wat was hij toch leuk. Zijn donkere haar, zijn blauwe ogen... Sven was zonder twijfel de leukste jongen uit de klas. Jammer dat hij haar niet leek te zien staan.

Ze raapte al haar moed bij elkaar en schraapte haar keel. 'Ga jij meedoen, Sven?' vroeg ze en ze wees op de poster.

Hij keek verstrooid op. 'O, hé Fleur. Weet ik niet. Misschien. Misschien niet.' Hij hief zijn hand even op. 'Nou, doei!' En hij liep weg.

‘Wat zou Sven doen, als hij meedoet?’ Fleur stootte Kaat aan.

‘Geen idee. Hij kan, geloof ik, waanzinnig goed, eh... blokfluiten of zoiets.’

Blokfluiten?! Fleur trok een gek gezicht.

‘Wanneer zijn die audities eigenlijk? O, hier staat het.’ Frederique boog zich naar voren. ‘Over drie weken!’

Verschrikt keek Kaat naar Fleur. ‘Dat is al gauw! Dan moeten we snel een act verzinnen.’

Gonzen en roezemoezen

In het klaslokaal was het dagelijkse geroezemoes tijdens de les nog erger dan anders. Meester Bas keek verstoord op. Overal zaten kinderen in groepjes. Maar in plaats van zich te buigen over hun rekenboeken, zaten de meesten opgewonden tegen elkaar te fluisteren.

Rustig pakte meester Bas de stoffen bordenwisser. Hij richtte en gooide hem toen doelbewust midden in het groepje van Steven, Tim, Emma en Roza.

Die keken geschrokken op.

'Sorry dat ik stoor,' zei meester Bas, 'maar ik dacht dat jullie bezig zouden zijn met je sommen.'

Iedereen keek nu op.

'Blijkbaar is er iets wat jullie aandacht harder nodig heeft dan het rekenen. Boeken dicht,' gebaarde de meester. 'Er wordt niet meer gewerkt vanaf nu.'

Fleur keek Kaat vragend aan. Die haalde als antwoord haar schouders op.

'Dunya, boek dicht. Mourad, leg je pen neer. Steven, sla het krijtstof van je mouw, jongen.'

Fleur keek naar meester Bas. Hij zag er niet boos uit of zo; eigenlijk kon ze zich niet herinneren dat ze hem ooit boos gezien had. Hij ging op zijn tafel zitten. Met zijn donkere krullen, lichtbruine huid en donkere ogen was hij zonder meer erg leuk om te zien. Hij was zelfs, vond Fleur, de leukste leraar ooit. Hij was nog niet echt stokoud (vierentwintig) en hij was altijd in voor leuke dingen, zoals voetbaltoernooitjes na school. Vorig jaar was hij zelfs een keer met de hele klas naar de film gegaan.

'Oké, wat is er zo belangrijk dat het hier alleen maar gonst en roezemoest?'

'Teen Star komt, meester!' riep Kim uit.

'O. En dat is...?' Meester Bas keek vragend de klas rond.

'Cool!'

'Hip!'

'Saai!'

'Nou, wat ik eigenlijk bedoel: wat is Teen Star precies? Frederique?'

'Een auditieshow. Je kunt eraan meedoen als je een talent hebt en als je tiener bent. En het maakt niet uit wat dat talent is, iedereen kan meedoen!'

'Mijn talent is het volkslied boeren,' zei Sander en hij liet een enorme boer.

De hele klas lachte.

Meester Bas grijnsde. 'Goed, en dan? Als je hebt meegedaan?'

'Dan kun je steeds een ronde verder komen en als je uiteindelijk wint, ben je de Teen Star van het jaar! En kom je op tv en zo!'

'Klinkt goed. Dus Teen Star is eigenlijk zoiets als **Idols** of **Holland's Got Talent**?' Meester Bas keek Kaat vragend aan.

'Yep. Maar dan leuker, anders. Bij **Idols** en die andere shows is alles op televisie te zien en hier niet, dit is... nou ja, toegankelijker of zo. Hier heeft iedereen een kans.'

'En wie van jullie zijn van plan om mee te doen?'

Er gingen een stuk of tien vingers de lucht in.

'Zo! En waarmee gaan jullie dan meedoen? Behalve Sander dan, van hem weten we het al.'

'Zingen!'

'Ik ga dansen.'

'Ik kan goed jongleren!'

'Een talentvolle klas dus. Fleur, wat ga jij doen?'

'Eh... weet ik nog niet precies, ik denk met Kaat en Frederique zingen. Als groep.'

Meester Bas stond op en drentelde wat heen en weer. 'En wanneer zijn die shows precies?'

'De eerste is over drie weken, de laatste een paar weken later. Als je die haalt...' Kaat keek voor bevestiging naar Fleur. 'Toch?'

'Maar dat kan toch niet betekenen dat jullie al die weken niet werken? Jullie mogen misschien sterren willen worden, maar ook voor een ster is het handig om te kunnen rekenen en spellen en z'n topo te kennen. Als megaster – en ik ga er natuurlijk van uit dat een van jullie die audities gewoon gaat winnen en de anderen op de tweede en derde plaats eindigen...'

Iedereen lachte.

'...moet je kunnen uitrekenen hoeveel geld je verdient aan je optredens, goed kunnen spellen als je teksten schrijft, en weten waar New York ligt als je daar een optreden hebt.'

'En Engels leren spreken!' riep David.

'Dat en nog veel meer,' zei meester Bas. 'Zullen we dus straks maar gewoon weer doorgaan met rekenen? Weet je wat, we spreken af dat we iedere dag, aan het einde van de lessen, een kwartier over de vorderingen van Teen Star zullen praten. Dan kan de hele klas erbij betrokken blijven, dat lijkt me leuk.'

Er klonk gejuich.

Meester Bas hield zijn handen omhoog. 'Goed, goed. Maar dat houdt ook in dat we nu verdergaan. Boek weer open en Sven, leg jij som dertien eens uit...'

Modderbad

Teen Star... Sven beet peinzend op zijn lip. Het was natuurlijk een geweldige kans om te laten zien wat hij kon. Hij had er nooit zo over nagedacht, maar toen hij vanochtend de poster zag, was er toch iets gaan kriebelen. En toen Fleur Flower gevraagd had of hij ook auditie ging doen, was het nog harder gaan kriebelen. Natuurlijk liet hij dat niet merken aan Fleur. Hij vond het nogal verwarrend, dat gedoe met meisjes. Hij voelde zich altijd enorm slungelig in hun aanwezigheid, en vooral als Fleur in de buurt was. Dan was hij zich opeens erg bewust van de jamvlek op zijn shirt of de inktvlekken op zijn handen. Daarom vermeed hij haar zo veel mogelijk. Maar misschien zou zij ook wel meedoen met Teen Star... Hij dacht er even over na. Hij en Fleur samen bij Teen Star.

Teen Star leek hem trouwens best eng. Stel dat de anderen zouden lachen... Er waren maar weinig jongens van zijn leeftijd die saxofoon speelden. Misschien vond iedereen dat wel heel stom en suf.

Aan de andere kant: Sven had zich nooit veel aangetrokken van wat anderen van hem vonden. Bovendien was hij best populair bij de andere jongens, had hij veel vrienden en één beste vriend, David. Die vond het vet, zo'n saxofoon, en hij zei dat Sven geweldig kon spelen. Soms probeerde hij erop te blazen, maar dat klonk eerder als een varken dat een wind liet.

Zou hij Teen Star wel kunnen combineren met zijn voetbaltrainingen? Zijn coach had net gezegd dat Sven een heel goede verdediger kon worden als hij driemaal in de week zou komen trainen. Hij mocht één keer per week extra meetrainen met een hoger elftal.

'Uw zoon heeft echt talent, mevrouw, zonde om dat verloren te laten gaan,' had de coach tegen mam gezegd.

Waarop Svens moeder naar Sven geknipoogd had. 'Sven heeft inderdaad talent. Talent om gewoon Sven te zijn. Als hij er zin in heeft, mag hij extra meetrainen, als zijn school er maar niet onder lijdt. Heeft hij geen zin, ook goed.'

Sven wist helemaal niet of hij wel zo veel wilde trainen. Hij zou vast minder tijd voor de saxofoon hebben, en muziek maken was wat Sven het aller-, allerliefste deed. Teen Star kon best eens een goed opstapje zijn. Maar het betekende wel dat hij een keuze zou moeten maken: voetbal of muziek. Peinzend fietste hij door.

Voetbal of muziek...

Saxofoon spelen of doelpunten scoren...

Jammer genoeg had Sven niet gezien dat de modderplas op het fietspad door het bos zeker veertig centimeter diep was. Hij dacht dat het een oppervlakkig plasje was. Totdat hij, met fiets en al, languit in de modder terechtkwam.

Sven greep vloekend zijn fiets en trok hem uit de blubber. Overal droop waterige zwarte modder van af. Zijn broek was doorweekt, zijn schoenen sopten. De modder zat in zijn gezicht, in zijn haar. Hij trok de fiets recht en zag dat hij een lekke band had.

Erger kon het niet worden, op deze druilerige middag, 22 april, 15.27 uur om precies te zijn. Hij wreef de modder van zijn horloge.

Toch werd het om 15.28 uur nog rampzaliger.

'Yo, Sven! Modderbadje aan het nemen? Schijn je een perzikzacht huidje van te krijgen. Misschien doet het iets voor die puistenkop van je.'

Sven verstijfde en draaide zich om.

Ook dat nog. Hij liet een diepe zucht ontsnappen en probeerde zich zo groot mogelijk te maken. Hij had eens gelezen dat dieren in het wild dat doen. Die maken zich zo groot mogelijk als ze een vijand zien aankomen, in de hoop die zo af te schrikken. Sven keek naar de vier jongens die op hun fietsen lachend naast de modderpoel stonden. Hij kende ze wel. Vorig jaar zaten ze nog bij hem op school, nu zaten ze allemaal in het eerste jaar van de middelbare school. En hij kende de zus van Tijn, Fleur. Dat uitgerekend Fleur zo'n etter van een broer had... Ongelooflijk, vond Sven.

'Lekke band, Puist?!' De jongen droeg een muts tot aan zijn ogen en een slobberbroek en draaide rondjes op zijn fiets.

'Laat me met rust, Mark.' Sven probeerde zijn stem kalm en zwaar te laten klinken. Deden dieren ook, die maakten dan een imponerend geluid, had hij gelezen.

Vorig jaar had iedereen de groep jongens op school 'De Zware Bende' genoemd. Ze waren berucht om hun neiging alles kapot te maken. Ze vielen oude mensen lastig door kriskras voor hen te gaan fietsen of skaten, zodat de ouderen er niet goed door konden. Niemand had ze ooit kunnen betrappen, maar iedereen wist dat ze snoepgoed en blikjes fris jatten uit de buurtwinkel van meneer Mouhawa. Ze draaiden harde muziek op de gettoblaster die ze bij zich droegen, liefst op pleintjes waar veel jonge gezinnen woonden, met slapende kleintjes die dan huilend wakker werden.

Zelfs de leerkrachten hadden een zucht van opluchting geslaakt toen de vier van school af gingen.

'Weet je wat ook goed helpt om je huidje glad als een babybil te krijgen? Scrubben. M'n zus doet niets anders.' Mark wenkte naar de andere drie jongens.

Rohan en Pieter stapten van hun fiets af en liepen dreigend op Sven af...

Design en vintage

Na school gingen Fleur en Frederique mee naar Kaats huis. Kaat opende de koelkast en zette een fles cola op tafel. Ze zocht een zak chips en pakte drie glazen.

Kaats ouders waren er niet. Eigenlijk, dacht Fleur, waren die er bijna nooit. Kaat woonde samen met haar ouders en broer in een prachtige villa. Kaats kamer was twee keer zo groot als die van Fleur en overal in huis stonden de nieuwste snufjes. Zoals hier in de keuken: een megagroot lcd-scherm aan de wand, waarop Kaat nu MTV aanzette.

'Hé meiden, kijk! Later, als we Teen Star gewonnen hebben en ontdekt zijn door een platenmaatschappij, staan wij daar!' Ze wees naar de clip.

Kaats mobiel ging.

'O, hoi mam. Ja, ik ben thuis, ik heb de twee F'jes bij me... Frederique en Fleur, ja.' Ze draaide even met haar ogen. 'Neehee, we maken geen rotzooi. We gaan het hebben over Teen Star! We willen meedoen en ... Nee, dat programma, je weet wel ... Nou, eh... zingen of zo? ... Oké, tot vanavond. ... Wat? ... In de koelkast? Ja.' Kaat zuchtte. 'Dat warmen we wel op. Maar hoe laat zijn jullie thuis dan? ... O. Ja, tot dan.'

'Wauw! Dat moet lekker zijn, als je ouders je zo vrijlaten.' Frederique pakte een handje chips. 'Die van mij willen altijd overal bij betrokken worden en komen er gewoon bij zitten als ik vriendinnen over de vloer heb. Ook gezellig, daar niet van. Maar het moet wel lekker zijn als je kunt doen en laten wat je wilt, zoals jij.'

Kaat haalde haar schouders op. 'Gaat wel. Ze hebben het nou eenmaal heel druk met de zaak.'

Kaats ouders hadden een eigen restaurant, *Lepels*.

'Soms is het ook wel saai. Ze zijn er zo weinig... Nou ja.' Ze haalde diep adem, trok haar designerrokje recht en haalde een hand door haar

glanzende donkere krullen.

En toch, dacht Fleur, is het wel eenzaam zo alleen in huis. Fleur voelde opeens een steek van medelijden met Kaat. Het leek haar helemaal niet zo leuk als pap of mam er nooit zouden zijn. 'Trouwens, mooie mobiel,' zei ze toen bewonderend en ze pakte hem van de tafel. 'Wou dat ík er eindelijk eens eentje kreeg.'

'Mag jij nog steeds geen mobiel?!' Kaat keek haar aan. 'Hoe doe je dat dan? Ik bedoel, hoe overleef je zonder mobiel?'

Fleur grijnsde, want ze wist dat Kaat het nog meende ook. 'Gewoon,' lachte ze, 'ademhalen! Maar je hebt gelijk, ik weet ook echt niet hoe lang ik nog kan overleven zonder mobiel. Ik bedoel maar: iedereen heeft er een.'

'Niet,' zei Frederique. 'Ik niet, hoor. En ik ben nog steeds gelukkig.' Frederique plukte aan haar shirt.

Vintage, noemde Kaat dat shirt. Tweedehands, grijnsde Frederique er dan achteraan. Niets mis mee, vond Fleur.

Frederique was altijd erg milieubewust. 'Deze kleding is nog prima en wordt anders weggegooid, wat een onzin! Zo plukken we de wereld leeg hoor, als we steeds maar nieuwe dingen maken en goede producten weggooien omdat we de kleur niet meer leuk vinden of zo.'

Fleur bewonderde Frederique daar wel om; Frederique leek zich nooit iets van trends aan te trekken, maar wist er altijd spetterend uit te zien.

Fleur zuchtte nu. 'Ik wil er heel graag een. Het staat boven aan mijn verlanglijstje voor mijn verjaardag. Wie weet. Nog maar een paar weken...'

'Kom op, genoeg over mobieltjes,' zei Frederique. Ze sprong overeind. 'We moeten een dansje verzinnen, onze outfits plannen, make-up proberen! Cool trouwens, dat meester Bas zo sportief is en we er in de klas over mogen praten. Maar je zag het: er willen heel wat kinderen meedoen en dat is allemaal concurrentie. Om die te verslaan, hebben we echt iets goeds nodig.'

'Een liedje zoeken,' zei Kaat, 'dat lijkt me het belangrijkst. Anders staan we alleen maar mooi te wezen bij de audities.'

'Als dat zou kunnen... Misschien dat Sven dan eens naar me kijkt,' mompelde Fleur.

Kaat keek haar aan. 'Wat zie je toch in hem? Hij is veel te lang en hij draagt slobberbroeken.' Ze knipoogde naar Frederique, zonder dat Fleur het zag.

'Hij is helemaal niet te lang! En die slobberbroeken staan hem juist leuk. Hij is gewoon jouw type niet, dat wil niet zeggen dat hij niet de meest geweldige jongen van de wereld is.'

Kaat lachte. 'Ik maakte maar een grapje. Sven is inderdaad... erg Sven. Hij heeft wel wat. Maar wanneer ga jij die meest fantastische, geweldige jongen ter wereld eindelijk eens vertellen dat je verliefd op hem bent?'

Fleur werd rood. 'Niet. Hij mag het niet weten!'

Frederique sloeg een arm om haar heen. 'Nou, zullen we het dan maar over Teen Star hebben? Over welk nummer we willen zingen bijvoorbeeld? En hoe we alles gaan regelen? We moeten opschieten, we hebben nog maar drie weken voor de eerste ronde!'

Filmcarrière

Sven had inderdaad wat, zoals Kaat had gezegd. In dit geval had Sven een gezicht vol zwarte smurrie. Om 15.30 uur werd Svens gezicht ingesmeerd met modder door Pieter en Rohan.

Alleen Tijn Flower deed niet mee. 'Kom op jongens, laat hem nou met rust. Hij heeft toch niets gedaan?'

Sven probeerde los te komen uit de greep van Pieter en Rohan. Hij schudde kwaad en vernederd zijn hoofd. Hij wilde niet huilen, niet waar deze jongens bij waren.

Echte mannen huilen niet. Het waren zijn vaders woorden, uitgesproken op een zonnige morgen vorige zomer toen hij wegging bij Sven, zijn zusje Eva en zijn moeder, om bij een nieuw gezin te gaan wonen. Met een nieuwe vrouw, nieuwe kinderen en een nieuwe hond.

Nou, echte mannen lieten ook hun gezin niet in de steek, had Sven gedacht.

Mark haalde zijn schouders op. 'Oké jongens, de schoonheidsbehandeling zit erop. Nou Puist, dat ziet er al stukken beter uit!'

'Eikel,' mompelde Sven boos.

'Wat zei je?!' De jongen hield zijn hand tegen zijn oor. 'Vloekte je nou? Zei je nou... eikel?' Hij keek de groep rond en lachte hard. 'Hij zei toch eikel, jongens? De Puist zei eikel. Ik wilde eigenlijk horen: "Dankjewel Mark, dat je me van m'n puisterige kop hebt afgeholpen." Kom, ik geef je nog één kans... zeg het maar!'

Sven zweeg. Hij beet op zijn – modderige – lip en keek naar Tijn. Die draaide zijn hoofd snel weer weg. Belachelijk, bedacht Sven, want vorig jaar was Tijn wel aardig tegen hem geweest.

'Nou, dan moet je het zelf weten. Wat een ondankbaarheid.' Mark kwam van zijn fiets af en gaf Sven een enorme duw.

Met een slurpend geluid viel Sven achterover in de modder.

'Ha ha! Je lijkt wel een varken. Beetje rollen in de modder, je moet er alleen nog bij knorren. Wacht, dit moet ik vastleggen. Het begin van Svens filmcarrière!' Mark graaide in zijn broekzak.

Tot Svens afgrijzen haalde hij een mobieltje tevoorschijn. Hij hield het toestel op ooghoogte en Sven hoorde het openschuiven van een camera. Het geluid weerkaatste tussen de bomen. Svens hart klopte wild in zijn borstkas. Hij beet wat harder op zijn lip om het trillen ervan tegen te gaan.

'Laat hem nou met rust!' Dat was Tijn.

Sven hoorde hoe hij zijn stem verhief.

'Waarom zouden we nog aandacht aan hem besteden?'

Sven voelde zijn ogen prikken. Hij wilde niets liever dan deze idioten in elkaar timmeren. Hoe durfden ze?!

'Je hebt gelijk.' Mark stopte het mobieltje weer weg. 'Zeg Puist, zo kun je thuis toch niet aankomen, man! Je ziet er niet uit. Ha ha! Wat zal je moeder wel niet zeggen?'

De jongens sprongen op hun fietsen en reden hard lachend weg. Alleen Tijn lachte niet en keek nog even om, voordat hij meefietste.

Sven kwam langzaam overeind. Echte mannen huilen niet. Echte mannen huilen niet...

Maar Sven huilde wel, terwijl hij overeind krabbelde en zijn fiets uit de drab trok. Als hij nu een mobiel had, zou hij zijn moeder kunnen bellen. Of de politie, of allebei. Dan had hij al kunnen bellen toen zijn stomme band lek bleek te zijn.

Alleen had hij geen mobiel.

Hij kreeg het koud en begon naar huis te lopen, soppend in zijn natte kleding en schoenen.

Op dat moment in de geschiedenis – 22 april om 15.38 uur – was er niets ter wereld dat Sven Krips liever had dan een mobiel. En een warm bad. En schone, droge, warme kleren. En een fiets die het deed. En een mok warme chocolademelk.

Argumenten van Sven om een mobiel te MOETEN hebben

'Dan kan ik je bellen als ik lastiggevallen word. Zoals vandaag. Het is veel veiliger als ik een mobiel bij me heb. Ik kan je bellen als ik te laat ben, of bij een vriendje blijf spelen. Ik kan je bellen als ik naar huis fiets en er iets gebeurt. Als jij te laat thuiskomt, kun je mij ook bereiken, hoef je je niet zo uit je werk te haasten en dan kan ik op Eva passen.' Sven nam een slok van zijn thee – de chocolademelk was op – en keek zijn moeder aan over de keukentafel.

Ze knikte bedachtzaam. 'Ja, dat is misschien wel slim, zo'n mobieltje. Ik had er eigenlijk nog niet goed over nagedacht, maar het zou best handig kunnen zijn.'

'En ik kan je bellen als de voetbaltraining later is afgelopen, of de saxofoonles,' vulde Sven aan.

Sven had al twee jaar saxofoonles. Een paar maanden geleden had zijn moeder bovendien een saxofoon voor hem gekocht, zodat hij nu eindelijk een eigen instrument had. Tweedehands, maar het geluid was geweldig. Later werd hij minstens zo goed als Dizzy Jones, dat voelde Sven gewoon. Dizzy Jones was volgens Sven de beste saxofonist ter wereld. Zo oud als een fossiel, maar absoluut de beste van het heelal; Sven had al zijn cd's. Die liet hij niet aan zijn vrienden horen, trouwens. Die luisterden niet naar 'prehistorische muziek', alleen naar wat er in de top veertig stond. Nee, naar Dizzy luisterde hij samen met mam, 's avonds. Dan zetten ze de tv uit en smeerde mam toastjes en schonk voor hem een glas cola in en voor zichzelf een wijntje. Samen luisterden ze naar Dizzy en soms moest ze dan huilen. Ook als Sven voor haar speelde, moest ze wel eens huilen.

Eigenlijk huilde ze best veel, bedacht Sven. Hij niet. Echte mannen huilden niet.

Naast zijn saxofoon, voetbal en het oude fossiel Dizzy Jones had

Sven nog één passie: echte fossielen. Twee jaar geleden had hij op vakantie in Frankrijk een paar fossielen opgegraven in een gebied waar er veel gevonden worden. Het idee dat hij iets in zijn handen had dat al duizenden jaren oud was, vond hij waanzinnig. Hij had een hele bijzondere: een doorzichtig stuk barnsteen met een fossiel miertje erin. Op een veiling-site waren die dingen meer dan duizend euro waard. Deze had hij gekregen van zijn vader. Dat was ook zoiets. Sinds zijn vader weg was, kregen Eva en Sven steeds cadeaus van hem. Liever had Sven gehad dat hij zijn cadeaus hield en gewoon weer thuis kwam wonen.

Mam goot verse thee in zijn mok.

Sven besloot door te gaan met zijn ik-heb-een-mobiel-nodig-verhaal. 'Of als ik op de fiets ben en het giet enorm, dan kan ik je bellen om te zeggen dat ik wacht tot de regen minder wordt en dat ik dus later thuis ben.'

'Hm, ja...' stemde mam in. Ze haalde een hand door zijn vochtige haar. 'Wie waren het eigenlijk, die je in de modder duwden?'

Sven haalde zijn schouders op. Als hij de namen zou geven, zou mam gaan bellen, hij kende zijn moeder. Dan zouden Tijn, Rohan, Pieter en Mark hem een kleuter vinden, die zijn moeder alles liet opknappen. Ze zouden hem alleen nog maar meer pesten en treiteren. 'Ik kende ze niet echt,' mompelde hij en hij beet een stuk van een koek af.

Hij dacht aan Teen Star. Als hij dat zou winnen... Dan zouden Mark en zijn vriendjes wel anders piepen. En opeens wist hij dat hij geen extra voetbaltrainingen zou volgen dit seizoen. Hij koos voor Teen Star. Voetbaltrainingen konden volgend seizoen ook nog wel, na Teen Star. Hij zou iedereen wel eens laten zien wat hij kon.

'Sven.' Mam pakte zijn kin vast en dwong hem haar aan te kijken. 'Weet je zeker dat je ze niet kende? Want ik bel zo hun ouders op, dat weet je, en dan houdt het getreiter wel op.'

'Ik kende ze niet echt, mam. Maar mijn fietsband moet wel gemaakt worden.'

Mam beet op haar lip. 'Dat waren nou typisch van die dingen die je vader deed. Ik heb eigenlijk nooit een band geplakt. Maar goed, je bent nooit te oud om te leren. Wat zeg je ervan als we het straks samen eens proberen?'

Sven knikte. 'En weet je? Met een mobieltje kan ik je ook gewoon bellen om te zeggen dat je de beste, liefste en leukste moeder van de hele wereld bent!'

Het argument om je ouders om te krijgen!

Mam barstte in lachen uit. 'Oké, ik ben om. Slijmbal! Maar je hebt gelijk, het is wel veiliger als we elkaar kunnen bereiken. Morgen gaan we er een kopen.'

'Yes!' Sven sprong op en kuste haar wang. 'Dankjewel.'

'Wel een prepaid, hoor. Daarmee zijn de kosten beter in de hand te houden. En heb je nog tegen je leraar gezegd dat je dinsdag later komt? Je krijgt dan je beugel, weet je nog?'

Zelfs dat kon Svens opwinding niet drukken. Een eigen mobieltje. Yes!

'Er was toch nog iets wat je me wilde vertellen?' vroeg zijn moeder.

Sven veerde omhoog. 'Ja! Er komen audities voor Teen Star en nu dacht ik dat ik misschien...'

Enthousiast vertelde Sven verder, terwijl zijn moeder glimlachend luisterde.

'Teen Star? Wauw... Tja, als dat is wat je echt wilt, mag je meedoen. Maar wel zorgen dat je schoolwerk niet lijdt onder je sterrenstatus!' lachte ze.

Verlangen

Op datzelfde moment bekeek Fleur Flower het verlanglijstje voor haar verjaardag. Dat zag er ongeveer zo uit:

* een mobieltje (roze, met camera en kleurenscherm)
* een hond (Hoeft niet groot te zijn, maar wel levend en geen pluchen knuffel. Ik weet dat ik hem toch niet krijg...)
* een opwaardeerkaart voor €25
* een mobieltje (Toe? Mag het??? Iedereen heeft er een en ik word tenslotte al elf; dat is bejaard voor je eerste telefoon!)
* een opwaardeerkaart voor €20 als je €25 te veel vindt
* een mobiel (Pleeeeeeeeze!)
* een omafiets met alles erop en eraan (maar liever een...)
* eigen mobieltje (alsje alsje alsjeblieft)
* nieuwe make-up voor als ik bij Teen Star moet optreden

Nog twee weken en dan was ze jarig. Elf. Een tiener, een elfer! Nee, een elfje. Fleur grijnsde, beet daarna op haar lip en keek nogmaals naar haar lijstje.

Mam had gisteravond gevraagd wat ze wilde hebben. Nou, dat was niet moeilijk. Fleur had geantwoord 'een mobieltje!' maar mama had net zo gekeken als toen ze vorig jaar om een pup had gevraagd. En die had ze nooit gekregen. Zelfs niet toen ze zelf een hok had getimmerd en er een etensbak in had gezet. Zelfs niet toen opa doodging. Maar later, als ze op zichzelf ging wonen, wilde ze een hond.

Voor nu wilde ze een mobieltje, met een blaffende hond als ringtone. Dat was bijna net zo goed. Tja, en natuurlijk make-up voor als ze zou meedoen met Teen Star. Nu had ze alleen nog maar wat lipgloss en roze nagellak. Dat moest natuurlijk veel meer worden, want als diva kon ze zich niet veroorloven zonder make-up op televisie

te verschijnen. Ze grijnsde even naar haar eigen spiegelbeeld. Diva... Tja. Als ze maar niet meteen uit de audities van Teen Star gewipt zou worden.

Fleur griste het lijstje van tafel en rende de trap af.

Er verscheen een steeds groter wordende rimpel op mama's voorhoofd. 'Maar je hebt vorig jaar al een fiets gekregen!'

'Dat was geen omafiets. Iederéén heeft nu een omafiets.'

Mama zuchtte.

En ja hoor, daar kwam hij weer...

'Je hoeft toch niet altijd hetzelfde als iedereen? Dat is onzin. Dus als iedereen in een hoopje poep springt, doe jij dat ook?'

Belachelijk. Alsof in een hoopje poep springen leuk was. Fleur zuchtte en liet haar adem langzaam uit haar bolle wangen ontsnappen. 'Nee, want als iedereen al in dat hoopje poep is gesprongen, is er geen ruimte meer voor mij.'

'Ha ha, Fleurtje!' mama lachte.

'Maar als ik geen fiets krijg, wil ik graag een hond, make-up of een mobiel, want dat staat ook op mijn lijstje, kijk maar,' antwoordde Fleur tussen twee happen appel door. Het had haar een goede tactiek geleken om eerst op de omafiets te wijzen en dan pas over het mobieltje te beginnen.

'Alsof ik dat over het hoofd had kunnen zien.' Mama trok een gezicht. 'Wat zijn dit allemaal?' Ze bladerde door een stapeltje papier. 'Fleur, dit zijn allemaal advertenties...'

'Ja, dat is om het je makkelijk te maken. Kijk, hier. Deze kost maar 49 euro en dan krijg je nog tien euro beltegoed. En met deze kun je ook internetten en deze hier is helemaal gratis! Kost niets.' Fleur wees op alle verschillende modellen; bladzijden die ze al weken uit allerlei folders en bladen scheurde.

Mama zuchtte. 'Goed, ik zal ernaar kijken. Maar ik beloof niets. Tijn kreeg zijn mobiel ook pas dit jaar, toen hij naar de brugklas ging.

En je weet wat papa vindt, dat...'

'Ja, dat weet ik. Papa heeft een hele lijst met argumenten waarom ik nog geen mobiel mag. Maar jij niet hè, mam?' Fleur sprong op en kuste haar moeders wang. 'Fijn dat je ernaar kijkt. Want ik zou het zo graag willen, een eigen mobiel! En ik ga volgend jaar ook al naar groep 8 hoor.'

Later die middag schreef ze een nieuw lijstje, dit keer met:

Argumenten van papa om geen mobiel te willen geven en dingen die ik er dan bij kan zeggen (of denken):

* Je bent te jong. (Ik word elf. Hallohooo ja?! Elf!)
* Het is te duur. (In alle advertenties staat €0! Dus hoe kan dat te duur zijn? Maar dat is bij een abonnement, zegt mam.)
* Toen wij jong waren, hadden we dit soort dingen ook niet. (Nee, ha ha, toen was het leven saai en was er geen televisie en die staat nu toch ook gewoon in de woonkamer!? Dat heet VOORUITGANG! En bovendien: ik ben NU jong!)
* Je hebt het niet nodig. (Welles! Megahard nodig! Om te sms'en met Kaat en Frederique en om foto's te maken. En te bellen als het regent en jij me op moet komen halen van hockey. Of om spelletjes te doen als ik me verveel in de klas. Om te kunnen bellen als ik Teen Star gewonnen heb!)
* Als je met je vriendinnen wilt kletsen, kun je ook gewoon bellen met een vast toestel of anders langsgaan. (Ja, maar dan zijn ze niet thuis en kun je ze alleen mobiel bereiken...)
* Je krijgt hem gewoon niet. Punt. Uit. Basta! En daarmee uit. (O.)

Fleur keek naar haar lijstje en beet op haar lip. Er moest toch wel iets zijn om papa te overtuigen? Daar moest ze morgen maar verder over nadenken. Vanavond was er een feestje bij Kaat, zij werd twaalf. Ze was blijven zitten en daarom zaten ze sinds groep vier bij elkaar in de klas. Sinds die tijd waren ze onafscheidelijk! 'Een Siamese tweeling' zeiden zowel Kaats ouders als haar eigen ouders wel eens. Kaat en Fleur scheelden een jaar, maar ze waren wel in praktisch dezelfde maand jarig. Fleur over een paar weken, Kaat nu.

Het zou vast een geweldig feest worden; het zou tot half tien duren, er zou een barbecue zijn en muziek om op te dansen en vrijwel de hele klas was uitgenodigd. En misschien wel het belangrijkste van alles: Sven was uitgenodigd. Fleur veerde op en ging neuriënd op zoek naar haar witte T-shirt.

De zaterdagochtend van Bloempje10

Fleur nam een slok melk en typte verder.

Bloempje10 zegt: ja, was egt een heel vet feest! suuuuupergezellig!

Kaat-wjnmk*-Fleur-wjnmk-Fred zegt: ja, was geweldig. thnx nog voor het leuke kado.

Frettekettet zegt: hoi! net wakker. was een superfeest, Kaat. wat had je trouwens een ge-wel-dig kado gehad!!!!! wil ik ook, zo'n webcam!!!!!

Bloempje10 zegt: ik ook. maar eerst mobieltje.

Kaat-wjnmk-Fleur-wjnmk-Fred zegt: hoop ik ook voor jou. kunnen we sms-en enzo. maar die webcam is zooooo cool. ga straks lkkr kijken hoe ie werkt.

Frettekettet zegt: leuk! trouwens, waarom vroeg jij Sven niet om te dansen, Fleur, je vindt hem toch zo'n sgatjuh??? zo wordt t nooit wat tussuh jullie...

Bloempje10 zegt: duh... hij ziet me aankomen...

Frettekettet zegt: LOL! waarom staarde je dan de hele avond naar hem??? kom op, wij zijn het, je allerliefste ♥svriendinnen! kun je toch wel gewoon zeggen dat je hem een knuffel vindt?

Bloempje10 zegt: nou ja, drfde dat gwoon niet... stel dat hij NEE zou zeggn!!! aaaaaaaaaaaaaaaaaaaaaaahhh! ga trouwens binnenkort mn msn-naam veranderen... Bloempje11! of Bloempje-wint-TeenStar-11! haha!

Frettekettet zegt: koel. ga je doen vandaag? ik moet mn ouders helpen bij opruimen van de zolder, krijg eindelijk m'n eigen slaapkamer daar! niet meer delen met snurkzus!

Bloempje10 zegt: kga naar mn oma. gaap! hou van mn oma, maar verpleeghuis is zo saaaaaiii! allemaal oude besjes die klagen...

Kaat-wjnmk-Fleur-wjnmk-Fred zegt: pas op je woorden! later word je ook zo'n oude taart en zitten jij en Sven samen in zo'n verpleeghuis onder n oude foto van Teen Star en dan klaag je als jouw kleinkinderen niet langs willen komen omdat ze t saai vinden.

Bloempje10 zegt: ja, is wel zo eignlk. oma kan er ook niets aan doen. heup gebroken en dan moet ze opnieuw leren lopen. kan ze weer naar haar eigen huisje! veel leuker. sinds opa dood is, wel een stuk stiller. vanavond tv-kijken. en jij, Kaat? ga je doen???

Kaat-wjnmk-Fleur-wjnmk-Fred zegt: ga mn webcam uitproberen! jammer dat jullie dat nog niet hebben. konden we elkaar zien!!!

Frettekettet zegt: nou, ben al blij met eige kamer! heb geen eige pc, zit nu beneden in wnkmr. dan hebben m'n ouders toezicht… maar is niet erg. ben nog steeds niet ongelukkig.

Bloempje10 zegt: heb wel eigen kmr, maar webcam zal zeker niet mogen. mag niet eens mobieltje…

Kaat-wjnmk-Fleur-wjnmk-Fred zegt: ach joh, komt goed! waarom koop je r niet stiekum zelluf 1? prepaid? hoeven zij niet te weten… ssssst!

Bloempje10 zegt: ja, is n id. w8 eerst verjaardag af, anders…

Frettekettet zegt: maar als ze je dan betrappen… vertrouwen ze je nooit meer! zou dat zelf niet doen, denk ik.

Bloempje10 zegt: is ook weer zo. moeilijk!

Kaat-wjnmk-Fleur-wjnmk-Fred zegt: gewoon w88, krijg je vast voor je verjaardag! spreek je ltr. kuzjes

Bloempje10 zegt: vl plzr!

Frettekettet zegt: xxxxx

De zaterdag van Sven

'Deze dan?' Mam hield een mobieltje omhoog.

Ze stonden in een telefoniewinkel, het was enorm druk. Vol afgrijzen staarde Sven naar het mobieltje in haar hand. Saai, eenvoudig, kleurloos, zonder extra's. Gewoon een mobieltje, niet meer en niet minder.

'Wat?!' Mam keek hem vragend aan. 'Wat is er?'

'Dat... Nou ja, dat is... het is zo'n simpel toestelletje.' Sven probeerde niet al te ongelukkig te klinken.

Een verkoper kwam naast hen staan. 'Dat is een prima startmodelletje.' Hij knikte mam vriendelijk toe.

Kijk, daar had je het al. Een startmodelletje. Alleen het woord al!

Mam keek van Sven naar de verkoper. 'Ja, wat kan dit toestel allemaal?'

'Nou, u kunt ermee bellen.' De verkoper glimlachte.

'En?'

'En sms'en,' vervolgde hij. 'Hij heeft een kleurenscherm, goede interne antenne en ingebouwde FM-radio.'

'Nou! Dat klinkt goed.' Mam keek Sven aan en lachte bemoedigend.

'Hij kost maar € 22,95 en dan krijgt u er ook nog eens vijftien euro beltegoed bij.'

Het allerduurste mobieltje ter wereld kost een miljoen euro en is gemaakt van goud en bezet met 1800 diamantjes. Er zijn er slechts drie van op de hele aardbol. Als je er een wilt, zul je hem moeten bestellen in Zwitserland, waar ze gemaakt worden. O ja, het beltegoed moet je er nog bij kopen...

Sven trok aan haar mouw. 'Mam, kunnen we eerst niet even rondkijken? Ik bedoel, er is vast meer op dat gebied. En...' Hij keek naar de verkoper en zweeg.

'Weet u wat? Ik laat u even alleen. Kijk rustig rond en als er vragen zijn, hoor ik ze graag!' De verkoper draaide zich om en liep weg.

'Wat is er toch? Je wilde toch een mobiel? Nou, dit is er een.' Svens moeder klonk geërgerd.

'Dat weet ik wel. Het is alleen... nou ja, ik wilde eigenlijk een mooier toestel. Waar ik meer mee kan doen. Met een camera, waar je ook mee kunt mms'en.'

Er verscheen een frons op zijn moeders gezicht. 'Sven...' Ze zuchtte. 'Je weet heus wel dat het geld niet op m'n rug groeit. Sinds die man weg is... We moeten gewoon voorzichtig met de uitgaven zijn. De verhuizing en alles hebben er goed in gehakt. Dus. Jij wilt een mobieltje, je kunt er een krijgen maar dan wel een zo goedkoop mogelijk toestel. Meer zit er niet in.'

Sven voelde de brok in zijn keel. Hè, jammer! Hij merkte dat hij rood in zijn gezicht werd. En hij had er een enorme hekel aan als ze over papa sprak als 'die man'.

'Ik wil ook niet ondankbaar overkomen,' mompelde hij zacht. Opeens viel zijn oog op een mobieltje. Mét camera. Mét kleurenscherm. En met een prijskaartje waarop stond **0,-**! Stoer en zwart en glimmend. 'Die! Die kost helemaal niets!' Hij liep erheen en pakte het mobieltje op. 'Deze is echt mooi.'

'Sven, dat is naïef! Je denkt toch niet dat ze zo'n mobieltje gratis weggeven? Natuurlijk kost dat geld.' Mam stond naast hem. 'Toegegeven, hij is wel mooi.'

'En echt gratis. Het staat er toch?!' Sven wees naar het prijskaartje.

'Dat klopt,' zei de verkoper, die er weer bij kwam staan. 'Maar dan moet je er wel een abonnement bij afsluiten. Kijk, als je een prepaid koopt, koop je eigenlijk het toestel. Het beltegoed koop je er steeds los bij. Bij een abonnement zit geen beltegoed; dan krijg je het toestel vaak gratis van de telefonie-aanbieder. Daar moet je wel wat tegenover stellen; je moet een abonnement bij die aanbieder afsluiten voor één of twee jaar. In dit specifieke geval,' hij pakte het toestel op, 'gaat het om een wat ouder model. Er zijn inmiddels alweer nieuwe modellen op de markt waarmee je kunt internetten en die je praktisch als laptop kunt gebruiken. Daarom is dit een hele goede aanbieding. Het toestel krijg je gratis en je hoeft slechts voor één jaar een abonnement af te sluiten voor tien euro per maand. Dat is echt een koopje. En daarvoor krijg je dan vijfenzeventig belminuten per maand en vijftig sms'jes.'

Het kleinste mobieltje ter wereld is slechts zeven centimeter lang. Het heeft geen cijfertoetsen, die moet je via het scherm aanraken met een stylus (soort pen) of met een, eh... lucifer. Het dingetje weegt nauwelijks meer dan een flinke goudvis.
Je kunt ermee telefoneren, fotograferen, muziek luisteren en hem in je mond stoppen als je hem moet verstoppen voor je ouders (pas op dat je hem niet doorslikt). Nadeel is wel dat hij zO klein is dat je hem makkelijk kwijtraakt of in je broek laat zitten, die vervolgens door je moeder in de wasmachine wordt gegooid...
Mocht je inderdaad niet weten waar je het ding gelaten hebt: bel gewoon jezelf met een ander toestel en ga af op het geluid van je mobiel! Werkt altijd, behalve als hij in de wasmachine zit, dan hoor je hem niet meer zo goed!

Sven keek naar zijn moeder.

Ze beet op haar lip en keek terug. 'Dan zou dit toestel dus, even rekenen... hondertwintig euro kosten. En die andere mobiel kost maar € 22,95. Tja, ik weet het niet, Sven, dat is best een verschil.'

'Maar bij die andere moet ik steeds nieuwe opwaardeerkaarten kopen en dat hoeft hier niet mee. En ik heb...' Sven maakte een snelle rekensom in zijn hoofd, 'nog zestig euro in mijn spaarpot. Dus als ik dat dan bijleg? Toe?! Dan kost het jou nog maar zestig euro nu.' Hij zag dat ze nog steeds twijfelde en zette toen zijn laatste troef in. Er was één argument waar ze altijd gevoelig voor was. Hij vond het wel een beetje gemeen om het te gebruiken, maar hij wilde deze mobiel zo graag... 'Ik kan natuurlijk aan papa vragen of hij anders de rest betaalt en dan...'

Ze keek hem gekwetst aan. 'Sven, dat is zo gemeen! Ik kan zo'n toestel ook echt wel zelf betalen, dat is het helemaal niet! Ik vraag me alleen af of je zo'n ingewikkeld ding nodig hebt, of dat je je nu laat meeslepen en beïnvloeden door allerlei advertenties. Want als je gewoon kunt bellen en sms'en, wat heb je dan nog meer nodig?!' Ze zuchtte en keek de verkoper aan. 'Nou, doet u die dan maar.' Ze wees naar het toestel met abonnement.

Sven keek beschaamd naar de grond. Raar, nu kreeg hij het toestel dat hij het liefst wilde, en toch voelde hij zich schuldig. 'Dankjewel, mama. En ik geef je die zestig zodra we thuis zijn, oké?' Hij legde wat onhandig zijn arm om haar schouder en gaf haar een zoen. 'En sorry dat ik over pap begon, dat was niet zo handig...'

Ze zoende hem terug. 'Nee, dat was niet zo handig. Je moet ons niet tegen elkaar uitspelen. Kom, we gaan afrekenen!'

Hij voelde de opluchting. Yes! Hij had een mobiel! Een enorm geweldige, jaloers makende mobiel! Daarmee kon hij later – en natuurlijk zou hij Teen Star winnen! – zijn impresario bellen, om nieuwe concertdata door te nemen of televisieoptredens af te spreken.

Gezinsmobiel

'Zoiets?'

Het was zondag en de vriendinnen waren bij elkaar gekomen aan het einde van de middag. Fleur hield haar uitnodiging op om aan Kaat en Frederique te laten zien. Ze zaten samen op Fleurs kamer en Kaat stopte een cd in de speler. Frederique bladerde door een tijdschrift.

'Leuk! Wat gaan we eigenlijk doen op jouw verjaardag?' Kaat liet zich op Fleurs bed vallen. Haar rode krullen vielen als een waaier om haar heen.

Fleur keek even naar Kaat. Zij zag er heel wat gewoner uit met haar halflange blonde haar. 'Ik wilde eerst een discofeest geven, maar dat vond mam geen goed idee. We hebben natuurlijk ook niet zo'n groot huis als jullie. Nu wordt het een filmfeest. Papa huurt een beamer en dan kunnen we een film op de muur zien, zo groot als in de bioscoop!'

'Cool! En welke film?' Frederique keek op.

Fleur stond op. 'Nou, geen kinderfilm in ieder geval. Iets spannends en grappigs, en een beetje romantisch.'

'De nieuwste Harry Potter dan?'

'Zoiets. En dan een schaal vol toverballen erbij!' Fleur klapte in haar handen. 'Het wordt gewoon een megafeestje! Mam bakt een taart en...'

Kaat keek haar aan. 'Weet je? Jij boft maar met zulke ouders. Mijn moeder bakt nooit iets thuis. In het restaurant wel ja, maar nooit thuis. Dan laat ze gewoon een taart bezorgen. Of ze laat hem maken door een van de koks in het restaurant. Jouw ouders doen tenminste dingen.'

Fleur trok haar wenkbrauwen op. 'Ja, maar jij mág veel meer van je ouders dan ik.'

Kaat haalde haar schouders op. 'Zal wel. Maar jouw moeder gaat

’s avonds met jou theedrinken en vraagt dan hoe je dag was. En je vader komt naar al je hockeywedstrijden. Doet de mijne niet, hoor! Zal me zelfs benieuwen of ze wel tijd vrij kunnen maken om bij Teen Star te komen kijken...’

‘Jij krijgt veel meer dan ik. Jij hebt een doos vol make-upspullen. En massa’s schoenen, de allernieuwste mobiel, een tv op je kamer. En jij kreeg je eerste mobiel twee jaar geleden al. Ik heb er nog steeds geen!’

‘Ja, da’s inderdaad wel stom, dat jij die nog niet hebt. Maar je weet toch ook waarom ik die mobiel kreeg? Zodat ik mijn ouders nog eens zou spreken; zodat mam kon vragen of ik mijn huiswerk wel had gedaan en of ik niet vergat de hamster te voeren. Ze zijn altijd weg en die van jou niet, die zijn er gewoon. Jij hebt geen telefoon nodig om je ouders te spreken.’

Fleur haalde haar schouders op. ‘Ja, maar toch. Ik wil gewoon zelf ook een mobiel.’

Frederique ging op haar knieën zitten. ‘Ik heb toch ook geen eigen mobiel? Wij hebben een gezinsmobiel.’

Kaat en Fleur keken haar beiden vragend aan. ‘Een watte?!’

‘Gezinsmobiel. Het is een heel goedkoop dingetje, je kunt er niet veel meer mee dan telefoneren, maar dat is toch voldoende. Hij ligt gewoon bij ons in de kast en wie weggaat en hem nodig heeft, mag hem meenemen. Ik deel hem met Sanne en Philip.’

‘Je deelt één toestel met je zus en broertje?’ Fleur keek bedenkelijk. Ze moest er niet aan denken, een toestel delen met Tijn. Maar ja, stel dat het de énige manier was om aan een mobiel te komen?!

‘Ja, gaat hartstikke goed, joh! Mijn ouders vinden het niet nodig dat we allemaal geld kwijt zijn aan dure mobieltjes, maar ze willen wel dat wij hen kunnen bereiken als dat nodig is. En daarom hebben we deze.’

‘En als jij en Philip nou bijvoorbeeld allebei tegelijkertijd weg

moeten en hem nodig hebben? Da's wel erg... vintage.' Kaat keek Frederique verwonderd aan.

Die haalde haar schouders op. 'Dan bekijken we wie hem het hardst nodig heeft. Als ik naar een feestje ga 's avonds, gaan papa en mama ervan uit dat ik gewoon gebruik mag maken van de telefoon daar. Dus krijgt Philip hem mee. Het is eigenlijk nooit echt een probleem en wel supermakkelijk zo.'

'Maar hij is niet van jóú. En je mag hem niet meenemen naar school. Of wel?' Fleur beet op een velletje van haar nagel.

'Nee, maar daar kan ik toch gewoon bij de conciërge bellen als het nodig is? Trouwens, je mag toch niet in de klas bellen.'

Hm. Daar zat wat in. Fleur keek naar Frederique. Die leek er echt niet mee te zitten dat ze zelf geen mobiel had.

'O! Zou ik nog bijna vergeten!' riep Kaat opeens. Ze boog samenzweerderig naar voren. 'Het schijnt dat er op internet een filmpje rondzwerft van iemand van onze school die in de modder ligt te rollen en knort als een varkentje!'

'Hè?! Hoezo?' Frederique veerde op.

'Nou, gewoon een filmpje met een mobiel gemaakt, maar ik weet niet door wie.'

'Op welke site dan?' Fleur keek met pretoogjes naar Kaat. Ze was altijd wel in voor dit soort geintjes. 'Hé, misschien is het die oude zeur van groep zes wel! Ligt hij te knorren in de modder, ha ha!'

'Weet ik niet, op welke site, ik hoorde mijn broer Luuk erover praten aan de telefoon. Ach, wat doet het er ook toe. Zeg, wie heb je nou eigenlijk uitgenodigd voor dat feest van je? Behalve ons natuurlijk, je eregasten!' lachte Kaat. Ze gooide een kussen naar Fleur. 'En Sven, je geheime liefde! Zeg, als wij nou eens allemaal niet op komen dagen op je feest, ben je een avondje helemaal alleen met Sven... Misschien dat je hem dan durft te zeggen dat je hem zo leuk vindt!'

Waarna Fleur niets anders kon doen dan kussens teruggooien.

Eén pukkel meer dan gisteren!

Die avond lag Fleur lang wakker. Ze staarde naar het plafond. Er fladderden tientallen gedachten door haar hoofd. Hoe zou het zijn om met Teen Star mee te mogen doen? En misschien wel te winnen? Hoe zou het zijn om een ster te zijn?! En binnenkort jarig... Ze hoopte toch zo dat ze een mobiel zou krijgen. En dat Sven zou komen. En dat de anderen ook allemaal zouden komen! Stel je voor, hoe vreselijk het zou zijn als niemand behalve Sven zou komen... Ze moest er niet aan denken!

Tijn had eerder die avond de gastenlijst bekeken die ze samen met Kaat had gemaakt. 'Waarom nodig je hem nou uit?' had hij gevraagd en op Svens naam gewezen.

'Gewoon. Dat gaat jou toch niet aan? Het is niet jouw feestje!' Ze had haar tong uitgestoken naar haar broer.

Sinds een jaar was hij onuitstaanbaar. Hét levende bewijs dat mensen afstamden van apen. Het leek wel of hij zich geen raad meer wist met zichzelf. Hij was een stuk gegroeid en er zaten allemaal pukkeltjes op zijn gezicht.

Soms stond hij voor de spiegel in de badkamer pukkels te tellen. 'Zeventien. Het zijn er vandaag zeventien,' zei hij dan treurig.

'Eén meer dan gisteren,' antwoordde Fleur meestal grijnzend, 'en drie meer dan vorige week!'

En dan gooide Tijn de deur voor haar neus dicht.

'Maar die Sven is zo'n... nou ja, hij is gewoon een stom joch. Heb je gezien hoe belachelijk zijn kleren zijn?'

'Tijn Flower! Je bent zelf stom als je dat zegt. Vroeger werd jij ook zo vaak gepest. En nu moet je zelf iemand niet om hoe hij eruitziet!'

Tijn haalde zijn schouders op. 'Ach, hij is gewoon een sukkel.' Hij had rode vlekken in zijn gezicht gekregen.

'Niet! Dat ben je zelf,' had Fleur gezegd. 'Een pukkelsukkel!'

Vreemd eigenlijk dat Tijn niet wilde dat Sven kwam, ze kon zich herinneren dat ze elkaar vorig jaar wel mochten. Zou er iets gebeurd zijn? Sinds Tijn die andere vrienden had, Mark, Pieter en Rohan, was hij er niet leuker op geworden. Ze draaide zich om op haar zij en dacht aan het feest. En aan Teen Star en aan Sven. Een hoofd vol prettige gedachten. Ze glimlachte en viel in slaap.

'Ik mag er gewoon een uitzoeken. Welke ik ook maar wil!' Fleur keek haar vriendin Frederique grijnzend aan.

'Je bedoelt... je mag eindelijk een mobieltje?!'

Fleur knikte blij. 'En ik mag uitzoeken wat ik maar wil! Dat zeiden pap en mam. Dat het ieder model mocht zijn, geld speelde geen rol.'

Vol ongeloof keek Frederique haar aan.

'En aangezien dit de grootste winkel van Europa op dit gebied is, moet het hier wel lukken, denk je niet?' Fleur keek opgewonden rond. Er lagen wel honderd modellen!

'Zelfs als je er een wilt mét camera?'

'Ja. Maar dan wel een met minstens een 5.0-megapixelcamera, zei mijn vader. Anders zijn de foto's zo korrelig. En een met de mogelijkheid om het geheugen uit te breiden voor muziek en video's. Hé, waarom niet deze?' Ze pakte er een op.

Frederique keek naar het prijskaartje en slikte. Ze keek weer naar Fleur. 'Dat kun je toch niet menen? Heb je gezien wat dat ding kost? Dat krijg ik in twee jaar nog niet aan zakgeld!'

'Ja, maar mijn ouders willen echt dat ik meteen een heel goed toestel koop. En ze hebben me het geld toch meegegeven? Dus dat mag ik gewoon opmaken, neem ik aan.'

'Kijk.' Fleur wees naar het menu op het beeldscherm. 'Hiermee kun je zelfs e-mailen en op internet. Zo te zien is dit echt het allernieuwste model. En je kunt er ook filmpjes op afdraaien, zie ik. En televisie op kijken. Hoe handig is dat wel niet?! Kan ik onderweg naar mijn favoriete programma's kijken! Of Teen Star filmpjes van mezelf downloaden. En ik moest er gelijk een abonnement bij nemen, zodat ik niet op de kosten hoefde te letten, want zo'n film downloaden op je mobiel kost natuurlijk aardig wat geld.'

'Eh... ja.' Frederiques mond viel open van verbazing. 'Eh... Fleur?! Je gaat toch niet dood of zo? Dat je ouders nu je laatste wens vervullen of zoiets stoms? Of heb je misschien iets geslikt waardoor je je raar voelt? Ik bedoel, dat mobieltje kost een fortuin! En je ouders waren altijd tegen mobieltjes! En nu mag je opeens kopen wat je wilt? Hebben jullie de staatsloterij gewonnen of zoiets?'

'Nee joh! Maar pap en mam zagen opeens in dat ik niet zonder mobiel kan. Zeker nu we Teen Star gewonnen hebben, heb ik zo'n ding gewoon nodig voor allerlei interviews en zo. En ook om onze manager te kunnen spreken. En omdat ik bijna jarig ben, mocht ik uitkiezen wat ik wilde. Hm, is deze wel zo mooi eigenlijk? Je schijnt ook mobieltjes in allerlei funky kleurtjes te hebben, ik zou nog even kunnen rondsnuffelen. Hé, er staan allerlei soorten ringtones op. Mono, polyfoon, realtone. Nou ja, wat dat allemaal betekent weet ik ook niet. O wacht, hij doet het nu!'

Een indringend geluid vulde de ruimte. RRRRRIIIIING

'Dat klinkt als... als een wekker,' zei Frederique en ze fronste. 'Dat is wel een stomme ringtone, kun je hem ook veranderen?'

'Natuurlijk! Op zo'n mobiel kun je vaak van alles downloaden. De nieuwste liedjes, misschien iets van Shakira of zo. Ha, of gewoon onze eigen song, van Teen Star!' Fleur duwde op een aantal knopjes, maar het geluid van de wekker hield aan.

Het leek opeens uit alle mobieltjes in de winkel te komen.

Frederique duwde haar handen tegen haar oren. 'Laat het nou eens stoppen, Fleur, wat een irritant geluid!'

Maar hoe Fleur ook duwde en drukte, het geluid ging maar door.
RRRRRRRIIIIING
'Het stopt niet! Ik krijg het niet uit!' Fleur probeerde niet in paniek te raken.
Iedereen keek haar kant op. Uit alle toestellen in de winkel kwam opeens hetzelfde geluid. Het geluid van een wekker.

Fleur schoot overeind. Het was helemaal geen ringtone en ze stond niet in de winkel. Ze lag onder haar eigen dekbed en de wekker naast haar rinkelde bijna het kastje af.

RRRRRIIIIING

Met een klap op de knop liet ze hem zwijgen en ze ging weer liggen.
Ze zuchtte. Leuke droom. Misschien, als ze nu eens heel erg haar best zou gaan doen op school, zou ze een mobieltje krijgen voor haar verjaardag. Of als ze nu eens iedere week écht haar kamer opruimde. Haar moeders auto zou wassen. De hond iedere dag na het avondeten zou uitlaten.
O nee, ze hadden geen hond. Ook zo'n cadeautje dat ze nooit had gekregen. Ze trok het dekbed over zich heen en zuchtte diep.
Een hond én een mobieltje. Winnen bij Teen Star. Verkering met Sven.
Dat was toch niet te veel gevraagd?!

Ramp 1: een beugel

Het slijm liep uit Svens mond en het voelde alsof iemand geprobeerd had een winkelwagentje in zijn mond te parkeren.

De tandarts lachte meelevend. 'Tja, dat is even wennen natuurlijk. Hier, neem een slokje water. Dat speeksel komt doordat de slotjes met lijm op je tanden zijn geplakt. Die lijm smaakt gewoon smerig, maar over een uur of twee is de smaak grotendeels weg, hoor. En er zit natuurlijk een soort brug tussen je kiezen, die over je gehemelte loopt. Dat bemoeilijkt het slikken. Maar het is vooral de lijm, die is vies.'

Vies? Het smaakte naar bedorven rat die in schoonmaakmiddel was gedompeld. Sven probeerde niet te kokhalzen.

Mama legde een arm om hem heen. 'Nou, dat zit erop. Hoe lang moest de beugel er ook alweer in blijven?' vroeg ze.

'Een jaar of anderhalf, twee.'

'Bweeeh? Bwaah ih dawt een aawtje!' gilde Sven.

Zowel mam als de tandarts keken hem niet-begrijpend aan.

'Wat zeg je?' vroeg mam.

Hij herhaalde zijn woorden. 'Bweeeh jaaw? Bwaah ih dawt een aawtje!'

'Wat zegt-ie nou?!' vroeg mam aan de tandarts.

Die haalde haar schouders op.

Ze kregen nog een lijstje mee. Dingen die Sven niet meer mocht eten met een beugel. (Waarom vertelde niemand je die dingen vóórdat je een beugel kreeg?)

Er stond op:

- nootjes en harde snoepjes (Geen toffee-appels met Halloween! Geen grote chocorepen meer waar je zo heerlijk iets af kunt bijten! Geen harde kauwgomballen!)

- appels en wortels (Lievelingsfruit: appels...)
- kauwgom! (Kauwgom mag ook niet meer!!!)
- pizza... (Aaaaah! Dit was zo ontzettend stom allemaal! Pizza was een soort levensbehoefte, dacht Sven kwaad! O wacht, hier stond dat je wel pizza mocht maar dan weer niet de harde korsten. Duh!)
- koolzuurhoudende drankjes (Het koolzuur scheen de lijm aan te tasten. Dus geen cola! Maar wat dan? Limonadesiroop? Hij zag het voor zich op een feestje of zo. 'Doet u mij maar een ranja zonder prik.' Bah!)
- geen ijsblokjes in je drinken (Dus ook geen volle glazen cola met tinkelende ijsklontjes.)
- geen harde broodjes, stokbrood...

Kortom, het leven mét beugel zou één GROTE RAMP worden!

'Gaat het een beetje?' vroeg mam bezorgd toen ze in de tram zaten.

Sven haalde zijn schouders op en slikte weer een mondvol smerig slijm weg. Dit had hij zich iets anders voorgesteld. Minder smerig, minder vervelend. Dat had iedereen toch gezegd, dat een beugel niets voorstelde?

Opeens kwam er een nare gedachte in hem op. Zou hij nog wel op zijn sax kunnen spelen? Meedoen met Teen Star? In paniek keek hij zijn moeder aan.

'Wat?' vroeg ze geschrokken. 'Wat is er?'

'Mwijn akgoogoon! Ik eet nwiet of ik daaw now op kwan bwelen!'

Ze probeerde te liplezen, wat niet werkte aangezien Sven zijn lippen niet goed op elkaar kreeg. 'Je... akgoogoon?!' Ze beet op haar onderlip en keek hem verontschuldigend aan. 'Sorry liefje, ik heb geen idee wat je zegt.'

Sven draaide zich om en staarde uit het raam. Het brandde achter zijn ogen en hij knipperde hard. Echte mannen huilen niet, hield hij zichzelf voor. Dat had hij goed onthouden toen pap wegging. Want anders kon hij wel bezig blijven, met dat huilen. Pap kwam er toch niet door terug.

Zijn mobiel ging over. Over de duvel gesproken, dacht Sven toen hij zag van wie het telefoontje was. Zijn vader, die wilde natuurlijk weten hoe het gegaan was met de beugel.

Sven drukte op de groene toets. 'Jwa, whaiio, mew Wen.'

Hè, wat een ellende, hij zou toch wel weer een keer normaal kunnen praten? Dit bleef toch niet twee jaar, dat hij als een soort van holbewoner sprak?!

'O, ik denk dat ik verkeerd verbonden ben,' zei zijn vader verbaasd aan de andere kant van de lijn. 'Ik ben op zoek naar Sven.'

'Jwa, daw wen ik! Wen!' riep Sven.

'Sorry, ik ben echt verkeerd verbonden. Excuses!' zei pap en voordat hij ophing, hoorde Sven De Nieuwe Vrouw nog even.

'Wat is er, schat?' vroeg ze aan zijn vader, met die stomme mierzoete piepstem van haar.

'Ik snap het niet, ik denk dat ik een Chinees aan de lijn had, of een Rus. Ik bel Sven later...' En toen hing zijn vader op.

'Wie was dat?' vroeg mam en ze pakte zijn hand even.

'Owh, nwiets. Vekeewd vewbonwen,' mompelde Sven.

Yep. Een Grote Ramp.

Zeg, ken jij de modderman?

Bloempje10 zegt: zag je zijn beugel?
Frettekettet zegt: wie zun beugel???
Bloempje10 zegt: Sven natuurlijk!
Frettekettet zegt: o, die, ja. staat best oké. ff wennen.
Bloempje10 zegt: zou nu iedere keer als hij door een metaaldetectorpoortje gaat, het alarm afgaan?
Frettekettet zegt: LOL! vind je hem nu nog steeds zo leuk?
Bloempje10 zegt: waarom zou dat anders zijn, alleen omdat ie een beugel heeft??!!! en ik zei tog al, ik vind m gewoon aardig.
Frettekettet zegt: aardig verliefd zul je bedoelen!!! komt tog ook naar jouw party?
Bloempje10 zegt: een kln kln btje verliefd misschien. maarre... ssssst! mondje dicht, hoor! heb hem uitgenodigd, hoop dat hij komt!!!
Frettekettet zegt: heb jij trwns nog gezocht naar dat fillumpje van dat joch in zo'n modderbad? schijnt bijna naakt te zijn geweest! egt lagguh. heb t ook niet gezien, maar iedereen heeft t erover. ze noemen m de modderman.
Bloempje10 zegt: EGT????? wie is het dan??? heb nog niet gekeken. en waar kan ik dat vinden dan???
Frettekettet zegt: weet niet. op iemands Hyves of YouTube of zo. misgien wel op de Hyves van jouw liefje, hoorde iemand zijn naam noemen in verband met de modderman.
Bloempje10 zegt: hij is mijn liefje nog helemaal niet! jammer genoeg...
Davidio12 meldt zich aan.
Davidio12 zegt: hoi! wie is je liefje nog niet???
Bloempje10 zegt: niemand!!! helemaal niemand!
Frettekettet zegt: hey David. we hadden het over de modderman. weet jij waar we dat filmpje kunnen zien?
Davidio12 zegt: modderman? heb nog niets over gehoord, wat is dat?

Bloempje10 zegt: een of andere idioot is in een modderpoel gaan liggen en rollen en daar is n filmpje met n mobieltje van gemaakt. Staat op iemands site. schijnt hilarisch te zijn! is iemand van school. jij weet dus ook niet wie?

Davidio12 zegt: nee, maar ga wel ff checken, chill.

Bloempje10 zegt: oké. doei!

Bloempje10 meldt zich af.

Frettekettet meldt zich af.

Piep piep

's Avonds bleven de spaghettisliertjes hinderlijk hangen in Svens beugel. Met zijn tong probeerde hij ze weg te werken.

Zijn moeder keek afwezig. Ze draaide steeds wat spaghetti op haar vork en draaide die dan weer los. Afwezig maar niet echt verdrietig, dacht Sven. En nog iets. Iets wat hij al lang niet meer bij haar gezien had, maar hij wist niet zo goed wat.

Piep piep.

Zijn moeder en hij graaiden alle twee naar hun mobieltje. Sinds zaterdag had Sven zijn mobiel nauwelijks buiten handbereik gehad. Alleen bij het douchen had hij hem even weggelegd. Maar wel zó dat hij hem nog kon zien.

Het was mams mobiel. Ze las het berichtje en begon toen te glimlachen, alsof ze een binnenpretje had. Hé, ze kreeg er zelfs blosjes van op haar wangen, zag Sven en hij werd onrustig.

Mam legde haar mobieltje weg en draaide weer dromerig rondjes met de spaghetti.

'Wie was dat?' vroeg Sven en hij schepte nog wat saus op.

'O, niemand. Gewoon een... kennis. Hoe gaat het nou met je beugel?'

'Gaat wel. Het doet nog wel pijn, maar je went er ook aan. En ik heb saxofoon gespeeld vanmiddag! Dat ging gelukkig gewoon. Beetje wennen, maar het ging goed. Dus ik kan me gewoon opgeven voor Teen Star!'

'Fijn. En op school? Eva, niet knoeien met de kaas.'

'Prima, we hadden een toets over Australië. Weet je, daar zou ik best eens heen willen. Het is daar altijd lekker weer!'

Ze keken allebei uit het raam, naar de grijze lucht waar regen uit viel.

'Moet zalig zijn!' zuchtte ze. 'Maar Australië is natuurlijk wel erg duur. Ik ben toch bang dat we volgende vakantie gewoon in Nederland blijven. Of heel misschien naar Frankrijk, kamperen.'

'Papa wil ons meenemen naar Zwisland!' zei Eva opeens.

Sven keek haar woedend aan. Dat had ze nou net niet moeten zeggen!

'Zwisland?! O, Zwitserland. Hoezo, Zwitserland?'

'Op vakantie, bij een meer, toch, Sven?'

'Eh... ja, zoiets...'

'O. En wanneer had hij jullie mee willen nemen? En was hij nog van plan dat met mij te bespreken?'

Sven wierp nog een boze blik op Eva. Hij had liever gehad dat pápa dit als eerste gezegd zou hebben tegen hun moeder. Hij had er zo'n hekel aan om als een soort boodschapper tussen zijn ouders op te treden.

'Zeg jij even tegen je moeder dat...'

'Zeg maar tegen die man dat hij...'

Sinds de scheiding konden ze niet normaal meer tegen elkaar praten.

'Eh... ergens in de zomervakantie geloof ik.'

'Deze zomer?' Ze zuchtte. 'En hoe lang weten jullie dat al?'

'Een paar dagen pas. Hij moet het eerst bekijken met zijn werk, of hij vrij kan krijgen.'

'Maar we hadden een afspraak. Deze zomer met mij op vakantie en volgend jaar met hem. Dus dan moet hij dat tripje maar in een paar dagen proppen. Van mijn dagen blijft hij af!' Ze begon driftig spaghetti van borden te schrapen.

Sven kromp een beetje in elkaar. Natuurlijk wilde hij niet dat ze lang alleen zou zijn deze zomer. Maar lekker aan een meer in Zwitserland leek hem wel geweldig. Hij was nog nooit in Zwitserland geweest, maar het scheen dat papa's Nieuwe Enge Gezin altijd heenging. De Nieuwe Vrouw en haar dochter van dertien en haar zoon van acht.

Sven had ze pas een paar keer ontmoet en eigenlijk was dat genoeg geweest om te weten dat hij ze nóóit zou mogen.

Maar zij zouden natuurlijk ook bij de vakantie zijn, bedacht hij somber. Jammer, dat zoiets leuks verpest zou worden door de aanwezigheid van het Nieuwe Enge Gezin.

Hij peuterde nog een sliert spaghetti los. 'Misschien wil ik niet eens mee,' mompelde hij. Hij stond op om zijn moeder te helpen. 'Trouwens, het is pas april nu. Het duurt nog eeuwen.'

Drummer van de band

De volgende dag klapte meester Bas aan het einde van de dag het schoolbord dicht. ‘En? Hoe gaat het met jullie Teen Star-ambities?’ Hij ging op de rand van Frederiques tafel zitten. ‘Wie van jullie wil zeker meedoen? Want je weet, de inschrijvingen zijn deze week.’

Er gingen wat vingers omhoog.

Fleur keek stiekem naar Sven, die met zijn handen op zijn tafeltje trommelde. Hm, zou hij toch niet meedoen? Ze voelde even een steek van teleurstelling.

‘Goed, Kaat, Frederique, Fleur, Tim, Carmen en Roos. Jullie willen dus meedoen. En de rest? Wie weet het nog niet zeker?’

Sven, Mei, Lelie, Kim, Pieter, Yvette en Emma staken hun vingers op.

‘En waarom twijfel je nog? Sven?’

Sven keek geschrokken op en haalde zijn schouders op. ‘Weet niet. Ik... het is best eng natuurlijk, zo’n show. Stel dat je afgaat...’

‘Maar dan heb je het wel geprobeerd!’ riep meester Bas uit. ‘Als je altijd bang bent dat je afgaat, kom je nooit ergens. Ik heb vroeger wel eens auditie gedaan als drummer voor een band. Een echte internationale topband!’

Nu keken ze hem allemaal aan.

‘Nooit gedacht, hè?’ Meester Bas grijnsde, pakte twee potloden van Frederiques tafeltje en begon te trommelen.

‘Ik wist niet dat u drumde!’ riep Roos uit.

‘Jawel. En nog best goed ook, hoor. Alleen net niet goed genoeg voor die topband. Maar ik ben erg blij dat ik het destijds wel geprobeerd heb. Het was een superervaring om mee te maken! En om te dromen over een toekomst als drummer in een band.’

‘Maar nu bent u leraar...’ zei Kaat. ‘Dat is wel iets heel anders eigenlijk, dan drummer.’

Meester Bas haalde zijn schouders op. ‘Ik vind leraar zijn ook leuk.

En ik drum nog in mijn vrije tijd. Soms treed ik op met onze band. Op internet kun je filmpjes vinden van ons. Maar wat ik probeer te zeggen: als ik niet had meegedaan aan de audities destijds, zou ik daar spijt van hebben gekregen. Dus wanneer je twijfelt of je wilt meedoen aan Teen Star, vraag jezelf dan af of je spijt zou krijgen als je niet meedoet, als je het niet probeert. En wanneer je bedenkt dat je spijt zou hebben, moet je het gewoon doen. En als je niet verder komt dan de eerste ronde, nou, dat is dan maar zo. Je hebt het dan in ieder geval wel geprobeerd!'

Iedereen knikte en toen ging de bel.

Stoelen werden naar achteren geschoven, tassen ingepakt, afspraken gemaakt.

Sven pakte zijn tas en gooide hem over zijn schouder. Hij keek even naar meester Bas, die nu ook zijn bureau opruimde. 'Welke band was dat eigenlijk? Waar u auditie voor deed?'

'O. Dat was Cell14.'

'Wat?! Dat is zo'n beetje de beste band ter wereld...' Sven gaapte zijn leraar aan.

'Precies!' grijnsde meester Bas.

Tapas

Sven las het berichtje van zijn vader.

BEN WAT LATER, SORRY. FILE.

Hij zuchtte en pakte zijn saxofoon. Zou hij het écht durven? Meedoen aan de audities?

Hij blies wat noten. Stel dat iedereen zou lachen. Dat ze het stom zouden vinden?! Hij dacht aan meester Bas' woorden. 'Dan heb je het in ieder geval geprobeerd!' En meester Bas had auditie gedaan voor Cell14.

Hij ging naast het cadeau voor zijn vader zitten. Vandaag was zijn vader jarig en hij wilde Sven en Eva ophalen om mee uit eten te gaan.

Mam had gezegd dat het mocht, als 'die man' hen maar wel op tijd thuis zou brengen. 'Je hebt natuurlijk wel gewoon school, Sven. Dus ik wil niet dat het laat wordt.'

En nu was zijn vader al te laat omdat hij in de file stond...

Sinds de scheiding konden zijn ouders niet meer normaal met elkaar omgaan, leek het wel. Als hij en Eva een kwartiertje later dan afgesproken thuis werden gebracht na hun weekend bij hun vader, was mam al in alle staten en beet ze pap woedend toe dat hij zo zijn bezoekrecht verspeelde. Dat hij zich aan de afspraken moest houden. En andersom deed zijn vader ook niet echt zijn best om de dingen goed te overleggen met zijn moeder, zoals nu met die vakantie in Zwitserland. Eigenlijk, dacht Sven nijdig, wilde papa niets liever dan Sven en Eva zo veel mogelijk bij zijn Nieuwe Enge Gezin betrekken. Maar daar had Sven dus geen zin in. Voor hem géén nieuw gezin. Hij was prima tevreden geweest met het gezin dat er was: papa, mama, Eva en hij. Hij zag niet in waarom hij nu opeens bij een nieuw gezin zou willen horen. Misschien kon hij papa er vanavond wel van overtuigen dat dit gezin – mama, hij én Eva – veel leuker was dan dat Nieuwe Enge Gezin.

Hij hoorde Eva onder aan de trap roepen.

'Sven! Papa is er!'

Sven pakte zijn cadeau en liep de trap af.

'Wat is er jongen, lust je het niet? Je vindt Spaans anders altijd erg lekker.' Zijn vader keek hem aan over de tafel, die vol tapas stond. Schaaltjes vol salades, vis, gehaktballetjes, sausjes en tortilla. Het rook heerlijk.

Sven keek hem vernietigend aan en zweeg.

'Misschien voelt hij zich niet lekker. Merel, toe, eet nu even wat. Je wordt veel te mager zo. Jongens, toe, dit kan toch allemaal wel wat gezelliger? We zijn lekker bij elkaar met z'n allen, er staat heerlijk eten op tafel en jullie vader is jarig!' De Nieuwe Vrouw keek enthousiast de tafel rond.

Sven en Merel zeiden het tegelijkertijd.

'Hij is haar vader niet!'

'Hij is mijn vader niet!'

Het bleef even stil aan tafel. Eva kroop wat dichter over de bank naar Sven toe. Hij legde zijn hand op die van haar, onder de tafel, en kneep er even in.

Zijn – zíjn! – vader zuchtte even. 'Toe, jongens. Nee Merel, biologisch gezien ben ik je vader niet, maar we wonen nu eenmaal samen onder één dak, dus ben ik, in zekere zin, in ieder geval een vaderfiguur voor je, en Sven, wat jou...'

'Ja, duh. Ik heb al een vader, dus ik heb jou niet nodig als "vaderfiguur"!' Merel sloeg demonstratief haar armen over elkaar.

'Merel!' zei de Nieuwe Enge Vrouw streng.

Sven moest er inwendig om lachen. Ha! Gelukkig zat Merel in ieder geval niet voorbeeldig gezellig te doen. Hij had er enorm van gebaald toen hij de auto in gestapt was met Eva en zag dat het Nieuwe Enge Gezin ook mee uit eten ging. Hij had gedacht dat hij en Eva alleen met papa zouden zijn. Zijn eetlust was spontaan verdwenen.

'Goed,' zei zijn vader, 'ik begrijp dat dit misschien moeilijk is. Maar kijk eens naar Eva en Sam. Zij proberen toch ook gewoon gezellig te doen? Laten we in ieder geval als normale mensen met elkaar te praten. Dus, Sven, hoe bevalt je mobiel?'

'Prima.' Sven propte een stukje brood in zijn mond om niet verder te hoeven praten.

'En je beugel, al een beetje gewend? Merel hier krijgt misschien ook een beugel, toch?'

Merel haalde haar schouders op.

'En ik hoorde iets over Tiener Star-audities? Sven, ik wist niet eens dat je kon zingen!'

'Het is Teen Star en ik kan ook helemaal niet zingen. Ik speel saxofoon.'

Svens vader had hem nog nooit horen spelen. Hij was al weg toen Sven de sax kreeg. 'O?! Nou, dat is leuk. Maar dat Teen Star, wat is dat precies? En gaat je school er niet onder lijden?'

Sven keek zijn vader aan. Dat meende hij toch niet? Hij woonde niet meer bij Sven en Eva, maar vond het blijkbaar nog wel nodig om zich zorgen te maken over Svens schoolwerk.

Merel keek Sven aan. Nog net niet vernietigend. Misschien, dacht Sven, vindt zij dit ook maar een rotsituatie. Misschien dacht zij er net zo over als hij.

'Ik heb daar ook aan gedacht. Meedoen aan Teen Star.' Merel keek hem uitdagend aan.

'O.' Sven duwde een stukje brood op zijn bord rond. Ook dat nog; zou hij Merel zien op de audities.

'Mereltje kan erg leuk zingen,' zei zijn vader.

Nu voelde Sven zich nog ellendiger. Mereltje. Dan zou zijn vader – zíjn vader – voor Mereltje naar Teen Star komen. En stel dat hij van Mereltje zou verliezen...

Sven schoof zijn bord weg en zuchtte diep.

Een hopeloos geval

‘Hou je stick nou eens op de grond! Het is geen softbal wat je hier speelt, Fleur Flower.’ Coach Annabel keek haar fronsend aan.

Fleur zuchtte en trok een gezicht naar Frederique. Ze speelde de bal uit. Verdorie, weer te hoog!

‘En ook geen tennis,’ riep Annabel.

Na de training liep Fleur met Frederique naar de fietsen. ‘Ga je mee uitnodigingen voor mijn verjaardag rondbrengen?’

‘Leuk! Maar dan moet ik eerst even mijn moeder sms’en. Anders weet ze niet waar ik blijf.’ Frederique pakte iets uit haar tas. ‘Hé, heb jij dat inschrijfformulier nou al ingevuld, voor Teen Star? Dat kan morgen voor het laatst.’

‘Ja, vanochtend.’ Fleur ontweek een plas. ‘Ik geloof dat er wel vijfentwintig acts meedoen!’ Ze had Svens naam nog gezocht, maar niet gevonden.

‘Nou, dat zijn er dan vierentwintig te veel,’ lachte Frederique, ‘want wij gaan natuurlijk winnen! Waar moet je eerste uitnodiging heen?’

Svens pen haperde boven zijn huiswerk. Hij hoorde de brievenbus klepperen en Eva en zijn moeder in de keuken lachen en kletsen.

Eva kwam binnen. ‘Deze is voor jou.’ Ze overhandigde hem een lichtblauwe envelop met zijn naam erop.

Uitnodiging

Ik ben jarig! En dat vier ik graag met jou!

Waar? Bij mij thuis

Wanneer? 6 mei

Hoe laat? 19.00 tot 21.30 uur

Cadeautip: geld (voor opwaardeerkaarten als ik een mobiel krijg)

Fleur

Hij las Fleurs uitnodiging opnieuw. Leuk, een feest! En nog wel bij Fleur. Eigenlijk was ze het leukste meisje dat hij op dit moment kende. Als het maar geen discofeest was, daar had hij zo'n hekel aan.

Opeens bedacht hij dat Fleur natuurlijk in één huis woonde met Tijn. En hij dacht aan het modderincident in het bos.

Piep piep.

Hij keek op naar het beeldscherm. David kwam online.

Davidio12 zegt: hey! ook uitnodiging gehad van Fleur?

Sven-the-man zegt: jep. ff nadenken of ik ga.

Davidio12 zegt: dacht dat jij Fleur wel zag zitten?

Sven-the-man zegt: duh. nou ja, ze is wel aardig.

Davidio12 zegt: aardig?! man, je wordt altijd heleml verlegen als zij in de buurt is! dan ga je stuntelen en verkleur je van huidskleur naar tomaatkleur.

Sven-the-man zegt: als je je mond maar houdt!!!

Davidio12 zegt: en dus ga jij gwoon naar dat feest en zoen je haar op dr wang en is alles oké! heb je trouwens al gehoord van dat filmpje? vet lagguh!

Sven-the-man zegt: hoezo?

Davidio12 zegt: 1 of ander joch schijnt gefilmd te zijn met een mobieltje terwijl hij in de modder rolt. ze noemen m de modderman. egt niet normaal! een hele fijne natuurfilm!

Svens adem stokte plotseling. Natuurlijk, het filmpje van Mark! Hij was het helemaal vergeten, maar zag het opeens weer voor zich.

'Dit moet ik vastleggen,' had Mark gezegd.

Sven kreunde. Nee toch? Het zou toch niet dát filmpje zijn dat ergens op internet stond? Maar eigenlijk wist hij het antwoord al.

'Wat is er? Je wordt zo rood?' vroeg Eva.

'Niets. Alles.' Svens vingers gleden razendsnel over de toetsen.

Sven-the-man zegt: waar is die site? want dat ben ik...

Davidio12 zegt: wat? man, schrikken! had je niet herkend, je zag er wat modderig uit. oei...

Sven-the-man zegt: tijdje geleden in het bos gepest door Mark en zn stomme maatjes. dacht dat het daarbij zou blijven. nu dus filmpje op internet...

Davidio12 zegt: oei. hele school heeft t erover. w8, zal ff link mailen van de site.

Sven-the-man zegt: man! kan me nooit meer vertonen op school! en ga nu dus al helemaal niet naar Fleurs feest! want Tijn was er ook bij en dat is dr broer...

Davidio12 zegt: of je gaat vermomd...

Sven-the-man zegt: is niet grappig.

Davidio12 zegt: sorry. misschien kun je de film eraf halen?

Sven-the-man zegt: misschien. ga eerst even kijken naar de site. ben er ziek van... en boos.

Davidio12 zegt: suc6. cu later.

Miserabel staarde Sven naar zijn scherm en de link die David had gemaild. Hij haalde diep adem en drukte toen op **enter**.

Wat hij zag was erger dan hij had kunnen denken. Mark had onder het filmpje het geluid van een knorrend varken gezet.

Sven verbleekte en voelde zijn maag krimpen. Dit was, zonder twijfel, de grootste ramp aller tijden.

Met één woedende ruk verscheurde hij de uitnodiging. Geen denken aan dat hij naar Fleurs huis zou gaan. Met zo'n broer zou het nooit wat worden tussen Fleur en hem!

'Wat doe jij nou?' Eva keek hem verbaasd aan en krabde aan haar oor.

'Gaat je niks aan, worm.' Hij tikte haar op haar neus en gooide de uitnodiging in de prullenbak. Hij moest kalm blijven. Erachter komen hoe hij dit belachelijke filmpje kon verwijderen. Maar hij voelde zich klein en ellendig.

'Ik ben geen worm! Sven?'

'Hm?'

'Denk jij... waarom... denk jij dat papa nog naar huis komt?'

Hij keek haar aan en beet op zijn lip. Haalde zijn schouders op. 'Weet ik niet.'

Haar ogen werden vochtig. 'Of zou hij... denk je dat hij die andere kinderen liever vindt?' fluisterde ze.

Sven slikte en knipperde met zijn ogen. Samen keken ze zwijgend uit het raam. Klein en ellendig.

Oude koeien en een piercing

Bloempje10 zegt: ben in rotbui.

Kaat-wjnmk-Fleur-wjnmk-Fred zegt: hoezo???

Bloempje10 zegt: ouderwetse vader! die hoort in een museum voor oudheden!

Kaat-wjnmk-Fleur-wjnmk-Fred zegt: ??? hi hi

Bloempje10 zegt: hij doet moeilijk over Teen Star. vindt me eignlk te jong. hallo ja!!! ik ben 10!!! is bang dat ik sterallures krijg en dat mijn schoolwerk eronder gaat lijden. bah!

Kaat-wjnmk-Fleur-wjnmk-Fred zegt: o jee... en nu??? je mag toch wel meedoen? is niets aan, zonder jou! pleeeeeze, zeg dat je meedoet!

Bloempje10 zegt: nou, scheelde niet veel.

TijnisFijn14 meldt zich aan.

TijnisFijn14 zegt: heb je t over?

Bloempje10 zegt: gaat je nix aan.

Kaat-wjnmk-Fleur-wjnmk-Fred zegt: hoi Tijn!

TijnisFijn14 zegt: yo! alles chill? doe jij ook al mee aan die show? Teen Star? hoorde Fleurtjetreurtje ruziën met pap.

Bloempje10 zegt: slijmerige krekel! vond je maar al te interessant, dat pap het niet wil! hij is gewoon zooooo ouderwets! hij vindt een mobiel onzin eigenlijk, want 'vroeger had niemand een mobiel'! nou ja!!! hij heeft er wel 1, zit de hele dag te bellen. is 'zakelijk' zegt ie. maar ik wil r ook 1. iedereen heeft er tegenwoordig 1! dat heet vooruitgang! hij kan alleen maar oude koeien uit de sloot halen! 'vroeger had niemand een telefoon'! ja, dááág!!! vroeger had niemand een tv! of koelkast! daar zou je nu toch ook niet meer zonder kunnen? en hij wilde dus eignlk ook niet dat ik aan Teen Star mee zou doen. hij verpest mijn leven nog! maar gelukkig vond mama wel dat ik mee mag doen. ze zei dat zij dat vroeger ook leuk zou hebben gevonden. en dat ze ook best aan Idols of zo mee had willen doen.

Kaat-wjnmk-Fleur-wjnmk-Fred zegt: kan ze zingen dan? wisiknie.

TijnisFijn14 zegt: als je geen bezwaar hebt tegen gesprongen trommelvliezen, kun je best stellen dat mam kan zingen!

Kaat-wjnmk-Fleur-wjnmk-Fred zegt: LOL! dus je doet wel mee, Fleur?!

Bloempje10 zegt: ja, en heb tegen papa gezegd dat, als ik geen mobiel vr mn verjaardag krijg, ik een piercing neem!

TijnisFijn14 zegt: weet je? anders krijg je mijn afdankertje wel, koop ik fijn een nieuwe mobiel!

Bloempje10 zegt: ja, dááág! alsof ik dat antieke model van jou wil!

TijnisFijn14 zegt: beter dan niets toch?

Bloempje10 zegt: ...misgien...

Kaat-wjnmk-Fleur-wjnmk-Fred zegt: eh Fleur???...dat meen je tog niet hè, van die piercing?

Ramp 2: (S)Tom

Sven zette zijn saxofoon net weg, toen zijn moeder op zijn kamerdeur klopte.

'Sven? Heb je even?'

Hij keek haar aan. Eigenlijk zou hij met haar moeten bespreken dat zijn modderfilmpje op internet stond. Misschien wist zij wel wat hij kon doen. Sinds hij het eergisteren had gezien, kon hij aan niets anders denken. Gelukkig was het filmpje zó onduidelijk, dat je helemaal niet goed kon zien wie er in de modder lag. Maar toch. Sven kreeg een stomp in zijn maag iedere keer als hij eraan dacht. Ja, hij kon het beter nu met haar bespreken.

'Ja, ik ben net klaar met oefenen. En ik wilde eigenlijk iets met je bespreken, mam.'

'O, oké. Maar zal ik eerst even vragen waar ik voor kwam? Ik wilde... nou, het zit zo. Ik ga vanavond een uurtje weg en wilde vragen of jij op Eva wilde letten. Ik ben niet ver weg en ga pas als Eva in bed ligt. En als er iets is, kun je me op mijn mobiel bellen.'

'Oké. Waar ga je heen?' Ze ging eigenlijk nooit weg 's avonds. Het verbaasde hem dat ze zo rood werd van zijn vraag.

'Eh... gewoon wat drinken in het cafeetje om de hoek.' Ze keek weg.

'O. Leuk.'

'Sven.' Ze zuchtte en ging op zijn bed zitten. 'Jee, dit is moeilijker dan ik dacht. Kijk, het zit zo. Ik heb iemand leren kennen en...'

'Wat bedoel je? Leren kennen?' Zijn hart ging wat sneller.

'Nou, gewoon iemand via mijn werk. Hij is net nieuw en...'

'Hij? Heb je een man leren kennen?' Nu bonkte zijn hart tegen zijn ribbenkast.

'Lieverd, het is niet zó serieus, hoor. Maar ik wil graag weer eens een keer een avondje weg met een man en Tom is gewoon aardig.'

'Tom?' Sven werd rood.

'Ja, zo heet hij. Hij werkt pas sinds een maand bij ons en het klikt wel. Nu willen we eens een keer een avond uit, om te kijken of het buiten het werk ook klikt.' Op dat moment piepte haar mobiel. Ze las het sms'je.

Natuurlijk, dacht Sven. Dat hij dat niet eerder had bedacht! Al die berichtjes waar ze om moest lachen, al die keren dat ze haar mobiel checkte op nieuwe berichten. Dat was allemaal van die Tom geweest!

Ze glimlachte en keek toen weer op.

Het deed Sven pijn om haar zó gelukkig te zien. En dat allemaal door een man die hij niet kende, de Stomme Tom. Hij keek kwaad naar de grond. Eerst zijn vader en nu zijn moeder!

Ze liep op hem af en legde haar hand op zijn wang. Hij schudde haar af.

'Sven, lieverd, ik snap best dat het moeilijk voor je moet zijn. Maar begrijp je dat ik ook wel weer eens een andere volwassene wil zien, dat ik wat wil doen 's avonds? Sinds je vader weg is, heb ik eigenlijk alleen maar thuis gezeten. En ik ga niet, zoals die man, meteen met Tom samenwonen. Maar ik wil er wel graag achter komen of hij iemand is die ik langer in mijn leven wil hebben.'

Sven haalde zijn schouders op. Ja. Nee. Ergens snapte hij het wel. En ook weer niet. Waarom kon ze niet gewoon met hém, Sven, leuke dingen gaan doen?

'Daarom ga ik vanavond wat met hem drinken. Maar we zitten bij het café om de hoek, dat heb ik expres gedaan zodat je me altijd kunt bellen als er iets is. Zeg, maar jij wilde ook iets bespreken. Wat is er?'

Sven staarde uit het raam. Hij had totaal geen zin meer om haar om advies te vragen. 'Niets,' zei hij. 'Er is helemaal niets.'

'Zeker weten?' Ze keek hem onderzoekend aan.

'Ja.'

'Oké. Heb je je trouwens nog ingeschreven voor Teen Star?'

Sven knikte. 'Ja, en tegen de voetbalcoach gezegd dat ik dus niet nog meer kan trainen. Dit is echt een goede kans, mam.'

'Goed gedaan. Als je niet ver komt, weet ik zeker dat de coach je zo weer extra trainingen wil geven. Maar je komt vast heel ver bij de audities. Je bent gewoon zo goed! O, nog even iets. Toen ik je kamer vanochtend opruimde en je prullenmand leegde, kwam ik een verscheurde uitnodiging voor het verjaardagsfeest van Fleur tegen.' Ze keek hem vragend aan.

Sven kreeg het warm. 'O. Dat.'

'Mag ik weten waarom je hem verscheurd hebt?'

Sven haalde zijn schouders op. 'Gewoon, geen zin.'

Even bleef ze stil naar hem kijken en Sven staarde naar de vloer.

'Oké,' zei ze. 'Kom je dan wel zo eten?'

Eva lag al een uurtje in bed en Sven zat op de bank, toen zijn moeder met haar jas aan naar binnen stapte.

'Nou, dan ga ik. Mijn mobiel staat op de trilstand, want in zo'n café hoor ik hem anders niet. En als ik niet opneem, moet je gewoon de voicemail inspreken. Dan luister ik die af, ik kijk iedere vijf minuten wel even.'

Ze zag er prachtig uit. Sven wist zeker dat als zijn vader haar zo zou zien, hij direct weg zou gaan bij het Nieuwe Enge Gezin en weer thuis zou komen.

Ze liep op hem af en gaf hem een zoen op zijn hoofd. 'Ik ben rond elf uur thuis. Probeer wel op tijd naar bed te gaan, je hebt morgen gewoon school.'

'Oké. Maar mag ik wel deze film afkijken?'

Ze beet even op haar lip en knikte toen. 'Tot later,' zei ze en ze trok de deur zacht achter zich dicht.

De film was net afgelopen, maar Sven had helemaal geen zin om te gaan slapen. Hij moest steeds aan het filmpje denken. En hoe hij het kon oplossen. Hij kon naar Mark gaan, maar die zou hem keihard uitlachen. Hij dacht aan meester Bas. Die zou misschien wel kunnen bemiddelen.

Hij pakte zijn mobiel en keek op het schermpje. Niets. Ergens had hij gehoopt dat mama zou bellen of sms'en. Dat ze ook nog aan hém dacht en niet alleen aan (S)Tom. Hij legde zijn mobiel naast zich en liep nog even naar de keuken voor chips en cola.

'...dus sms "Freetone" naar 111 en ontvang je gratis ringtone NU. Doe het vandaag en je hebt deze geweldige ringtone he-le-maal gratis. Het is dé hit van dit moment en jij kunt hem gratis krijgen. Dus sms en ontvang hem vandaag nog!'

Sven liep terug met zijn glas en keek naar de reclame. Een gratis ringtone van de nummer 1-hit van dit moment?! Dat was nog eens leuk!

Zonder verder na te denken sms'te hij 'Freetone' naar het genoemde nummer.

Een paar tellen later ontving hij een sms terug. Hij moest 'Ringtone on' sms-en en dan zou hij zijn gratis beltoon ontvangen. Eronder stond nog een lap tekst met voorwaarden, maar dat is toch formaliteit, dacht Sven. Ha! Zou hij morgen op school wel eens zijn nieuwe ringtone laten horen!

Hij sms'te 'Ringtone On' en wiste het andere smsje. Na een poosje ontving hij weer een bericht terug. Dat zijn ringtones voortaan iedere week naar hem gestuurd zouden worden. Hij fronste zijn wenkbrauwen. Hij zou er toch maar één krijgen? Ach, wat maakte het ook uit, het was gratis. Met de vaste telefoon belde hij snel zijn mobiele nummer. Super! De nieuwe ringtone deed het al! Sven draaide nog tweemaal zijn eigen nummer zonder op te nemen, alleen maar om het liedje te horen, en ging toen neuriënd naar bed.

Cadeautjes!

Nog maar één nacht.

Nog maar negen uur en 48 minuten voordat de wekker zou gaan.

Fleur draaide zich om onder haar dekbed. De laatste nacht dat ze tien zou zijn.

Ze dacht aan morgenochtend. Dan zou ze cadeautjes krijgen. Ze wilde zo graag weten wat ze kreeg! En ze nam zich voor om niet teleurgesteld te reageren als ze niet kreeg wat ze graag wilde. Zo wilde ze laten zien dat ze wel degelijk al groot was. Ze staarde naar haar klok.

Nog negen uur en 46 minuten.

Ze dacht aan een opmerking die Sven gemaakt had vandaag. Ze had het niet zo begrepen. Terwijl ze op de fiets naar gymles gingen, had Kaat gezegd dat ze zich enorm verheugde op het feestje vrijdag. En Sven had iets gemompeld over een andere afspraak en geen tijd. Zou dat betekenen dat hij niet kwam? Fleur zuchtte. Dan zou het feest meteen al een stuk minder leuk zijn. En dan zou David hier alleen zijn! Pfff...

Nog maar negen uur en 43 minuten.

'Goed, dan is dit je eerste cadeau, pak maar uit!' Mama zoende haar en trok haar even naar zich toe. 'Wat word je toch groot...'

Fleur trok het papier weg. Het was een doucheset, met heerlijk ruikende shampoo, olie en zeep. 'Dankjewel!' riep ze blij en ze gaf haar moeder een zoen.

'En deze is van mij. Gefeliciteerd.' Tijn duwde een pakje haar kant uit.

Het was een dvd over Teen Star van het vorige seizoen. Nu kon ze kijken waar de jury allemaal op lette. Ze bedankte hem met een zoen, ervoor zorgend dat ze niet op zijn puisten zoende. Tijn werd rood.

'Bedankt!' Ze keek naar de twee overgebleven pakjes op tafel. Eén pakje was erg klein en het andere pakje, dat papa nu oppakte, was groot genoeg om een mobieltje te bevatten.

'Nou meisje, vooruit dan maar. Hier is nog een cadeautje.' Papa knipoogde even en gaf haar het pakje.

Ongeduldig trok ze ook hier het papier van af. Ja! Het was... het was... ze keek nog eens goed. Het was een mobiel! Maar dan een nepperd! Het was gewoon zo'n plastic dingetje dat je in de speelgoedwinkel kon kopen.

Ze voelde hoe ze knalrood werd. Ze knipperde met haar ogen en haar stem klonk schor. 'Ha ha. Leuk.' Ze probeerde te lachen. Verdorie, wat een stomme grap! Tranen prikten in haar ogen.

Papa grinnikte. 'Kun je alvast oefenen! Dat je hem niet kwijtraakt en zo. En als dat goed gaat, krijg je misschien wel een keer een echte.'

Fleur beet op haar lip. Ze zou niet teleurgesteld zijn, dat had ze zich voorgenomen. Ze knikte snel en schoof het stuk speelgoed opzij.

Mama keek papa fronsend aan. 'Steven,' zei ze waarschuwend.

'O ja!' zei papa en hij duwde het laatste pakje naar Fleur toe. 'Deze nog!'

Ze maakte het kleine doosje voorzichtig open.

Het waren prachtige oorbelletjes, in de vorm van een bloem.

'Echt goud,' zei mama en ze streek even over Fleurs rug.

Fleur keek haar dankbaar aan. Ze wilde per se niet teleurgesteld lijken. 'Dank jullie wel. Mag ik ze indoen?'

'Ja, maar wees er wel zuinig op.'

Mama schonk thee in en papa smeerde wat boterhammen.

Fleur liep naar de spiegel om de oorbellen in te doen. Ze keek naar haar spiegelbeeld. Jammer dat ze geen mobiel had gekregen. Maar de oorbellen waren wel erg mooi en van écht goud dus vast enorm duur.

Ze liep terug naar de ontbijttafel.

Daar, op haar bord, lag opeens nog een pakje.

'Wat is dat nou?' vroeg ze verbaasd en ze keek haar ouders aan.

'Een piercing!' zei papa met een grijns.

Do's-and-don'ts met je mobiel

Maar het was geen piercing, natuurlijk niet. Fleur gilde het uit toen ze het cadeautje had uitgepakt. Hij was beige met roze bloemen en een kleurenscherm en je kon hem dichtklappen en er zat ook een radio in!

Haar eigen mobiel! Haar eerste echte eigen mobiel! Ze vloog haar vader om zijn nek en toen haar moeder. 'Dankjewel! Dankjewel!' Ze zoende hen beiden.

'Het is een prepaid, we hebben er al tien euro op laten zetten. De rest moet je zelf steeds verdienen of bij elkaar sparen. Wij betalen er iedere maand twee euro vijftig aan bij, omdat we ook willen dat je ons belt als het nodig is en dat kost jou anders steeds geld. En wees er zuinig op, ga er verstandig mee om. Met je beltegoed en zo. En met het toestel zelf, zo'n ding kan niet overal tegen.' Papa keek haar aan met opgetrokken wenkbrauwen. 'Oké?'

'Oké!' lachte Fleur en ze streelde haar mobiel.

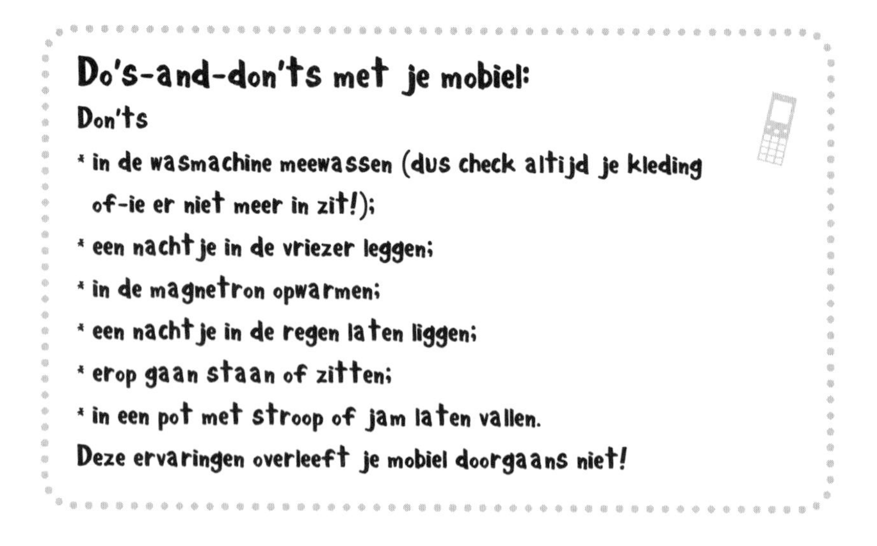

Do's-and-don'ts met je mobiel:

Don'ts

* in de wasmachine meewassen (dus check altijd je kleding of-ie er niet meer in zit!);
* een nachtje in de vriezer leggen;
* in de magnetron opwarmen;
* een nachtje in de regen laten liggen;
* erop gaan staan of zitten;
* in een pot met stroop of jam laten vallen.

Deze ervaringen overleeft je mobiel doorgaans niet!

Do's

* check regelmatig of je nog voldoende beltegoed hebt en voor hoeveel je al verbeld hebt;
* spreek met jezelf een bedrag af waarvoor je per maand mag bellen/sms'en;
* bewaar je mobiel op een vaste plek; zo ben je hem niet steeds kwijt.

In de klas was het rumoerig. Fleur keek rond en zag Sven zitten. Hij zat ineengedoken en keek peinzend uit het raam. Ze had van hem nog niets gehoord over haar feestje, iedereen had al laten weten of ze kwamen, behalve hij. Ze zou het hem straks eens vragen.

'Oké, stelletje lawaaiapen!' Meester Bas stond voor de groep en klapte in zijn handen. 'Hoe dichter bij Teen Star komt, hoe moeilijker jullie in bedwang te houden zijn, lijkt het wel! De mededelingen van de dag: Ilja is ziek, dus Yassina, als jij haar na school haar boeken wilt brengen? Verder is er iemand jarig vandaag. Fleur, gefeliciteerd!'

Fleur knikte met een rood hoofd.

'Voor de pauze trakteren. En dan nog een belangrijke mededeling over, jawel, de Teen Star-audities. Na school moet iedereen die mee wil doen, even blijven. Dan komt er een mevrouw van het programma zelf en die geeft uitleg over alles. Goed, we gaan beginnen met rekenen, sla allemaal je methodeboek open op bladzijde zestien.'

Ramp 3: Okidoki

Na school liepen ze naar het leslokaal van groep vijf. Daar zou over tien minuten de voorlichting over Teen Star zijn. Opgewonden stemmen stegen op in de hal. Fleur stootte Kaat aan toen ze Sven ook het lokaal in zag lopen. Zou hij zich toch nog opgegeven hebben?

Ze keek rond. Voor de klas stond een vrouw, megacool gekleed. Fleur zocht een plekje om te gaan zitten. Als ze nu eens héél nonchalant naar Sven zou lopen en achter of voor of naast hem ging zitten? Verder zou ze hem natuurlijk negeren, want dat werkte altijd het beste bij jongens. Daar werden ze onzeker van. Ze begonnen zich dan af te vragen waarom je geen aandacht aan hen schonk en dan deden zij juist erg hun best om wél aandacht te krijgen. Ja, dat zou ze doen. Negeren. Dat zou indruk maken. Ze haalde diep adem, rechtte haar schouders en...

...struikelde over een tas die in het gangpad stond.

Met een hoop kabaal viel ze languit op de vloer. Haar tas was opengegaan en alles lag op de grond. Ze kwam haastig overeind. Au! Haar knie deed pijn. Nou, als dat geen indruk had gemaakt... Ze beet op haar lip om niet te gaan huilen.

Er werd geproest en gegrinnikt, en de vrouw die voor de klas stond liep snel naar haar toe. 'O jee! Mijn fout, dat was mijn tas! Gaat het wel met je?'

'Ja hoor, alles okidoki,' piepte Fleur met een knalrood hoofd en ze wreef over haar knie. Ze pakte haar spullen bij elkaar en liet zich in het dichtstbijzijnde bankje vallen zonder verder op te kijken.

Achter zich hoorde ze een bekende stem fluisteren: 'Okidoki?! Pfffff! Dat is zooooo vorige eeuw!'

Was dat niet het gegrinnik van Roos? Fleur blies haar wangen bol. Ook dat nog.

'Ik kom jullie vandaag uitleggen hoe de audities precies in z'n werk gaan,' zei de vrouw. Ze had een tinkelende stem, vrolijk en licht.

Fleur keek haar even bewonderend aan en liet haar blik toen weer door het lokaal gaan.

Het was voor het eerst dat alle kinderen die mee zouden doen aan Teen Star, bij elkaar zaten en ze dus kon zien wie dat allemaal waren. Het waren er best veel, zag ze. En ook oudere kinderen, die hier zeker niet meer op school zaten.

Fleur zag de zusjes Mei en Lelie Huey Lin, zij zouden dansen. Verderop zaten Youri, Tom en Rick. Breakdance en hiphop, dat deden ze namelijk altijd en overal. Tim, die zou gaan jongleren. Ze zag Carmen zitten; die, wist Fleur, kon prachtig pianospelen.

Achter Frederique zat Sven. Hij keek even haar kant op en keek toen weer weg.

En bah! Daar zaten inderdaad Roos en Yvette. Roos vond zichzelf het leukste en mooiste meisje van de klas en ze was gewend alle aandacht te krijgen. En het ergste: die kreeg ze ook. Alle jongens keken altijd naar haar en de meiden in de klas deden wat Roos zei. Zelfs de leerkrachten leken Roos nét iets leuker dan de rest te vinden en ze kwam er altijd mee weg als ze haar huiswerk niet had gemaakt of 's ochtends te laat kwam.

Fleur blies nijdig uit. Wat een ramp! Nu konden ze Teen Star wel vergeten, want Roos zou natuurlijk alle juryleden om haar vinger weten te winden.

Ze leunde naar Kaat toe en fluisterde: 'Wist jij dat Roos en Yvette meededen?'

Kaat schudde haar hoofd.

'Balen!' fluisterde Fleur nog even.

De k van Kanjer

'Wat leuk dat jullie er zijn! Ik ben Katinka en ik werk voor Teen Star. Ik zal jullie uitleggen wat precies de bedoeling is. In twaalf regio's in het land vinden de komende weken deze audities plaats. Jullie strijden om de titel Teen Star van deze regio. En die winnaar mag volgend jaar meedoen met de landelijke finales. We hebben in de regio een aantal scholen gekozen waar de audities plaatsvinden en waar kinderen zich kunnen inschrijven, vandaar dat er hier nu ook kinderen van andere scholen zijn. Ik heb alles in een schema op het bord gezet, dat maakt het wat makkelijker.' Katinka wees naar het bord en iedereen begon te lezen.

Welkom bij de Teen Star-audities!

regionale voorrondes op een aantal scholen

kwartfinale: 20 acts blijven over

halve finale: 10 acts gaan door

regiofinale: de winnaar van Teen Star wordt gekozen!

Deze finalist gaat met 11 andere finalisten naar de landelijke finale, volgend voorjaar.

Katinka vervolgde: 'Als je door alle rondes heen komt, moet je in totaal viermaal optreden voor een jury, iedere week éénmaal, steeds met dezelfde act. Dus niet zoals bij andere talentenshows met steeds een nieuw liedje of een nieuwe act. De halve finale en de finale zijn op de regionale televisie te zien, de andere shows zijn via internet te volgen. En uiteraard is de landelijke finale volgend voorjaar op de landelijke televisie! In de halve finale beslissen de kijkers door te stemmen mee wie er doorgaan, in de finale zal een vakjury het eindoordeel geven.' Ze pauzeerde even en nam een slok water.

Iedereen in het lokaal keek elkaar opgewonden aan. Op televisie komen! Wauw!

'De winnaars van alle regio's krijgen een reisje naar Disneyland aangeboden en iedere winnaar mag maximaal drie anderen meenemen. Daarnaast krijgen ze tot aan de grote landelijke finale zang- of muzieklessen, kledingadviezen en noem maar op, alles wat nodig is om volgend voorjaar goed voor de dag te komen.'

Iedereen begon opgewonden te praten. Fleur kreeg buikpijn van de opwinding.

'Nog even jullie aandacht graag! Eerst een telefoonlijst. Als iedereen even zijn 06- of thuisnummer hierop noteert, achter zijn naam, en de lijst dan doorgeeft aan degene naast of achter zich. Dan heb ik alle nummers van deze regio bij elkaar, voor het geval we contact met je moeten opnemen.' Ze legde een lijst neer bij Youri, die als eerste zijn naam en nummer opschreef.

Tegen de tijd dat Fleur de lijst kreeg, zag ze dat Sven zijn mobiele nummer er ook al bij had geschreven. Wat een kans, dacht ze opeens en haar hart sloeg even over. Stiekem, zonder dat iemand het zag, schreef ze zijn nummer over op een papiertje. Niet dat ze hem zou bellen, het was gewoon leuk om zijn nummer in haar mobiel te hebben. Daarna schreef ze haar eigen nummer op en legde het papier bij Kaat neer. Ongemerkt pakte ze haar mobiel en sloeg Svens nummer op. Onder de k van Kanjer, want ze wilde absoluut niet dat iemand zag dat Sven bij haar contacten stond. Stel dat Sven het zelf zou zien... Ze zou het besterven!

Zie je vrijdag, Sven...

'Zo meteen krijgen jullie allemaal een formulier dat je moet invullen.' Katinka liep door de klas. 'Ook moeten je ouders dat ondertekenen, zodat wij weten dat ze ermee instemmen dat je meedoet aan Teen Star. Daarnaast moet je aangeven wat je precies gaat doen, welke act of welk nummer, of je zelf muziek meeneemt of dat wij dat moeten regelen en wat de artiestennaam wordt waaronder je optreedt. En dat neem je dan volgende week mee naar de eerste ronde.'

'Artiestennaam?' Kaat fluisterde opgewonden. 'Daar hebben we nog helemaal niet over nagedacht! O jee! Eh... Kaat, Fred en Fleur?'

'Nee! Dat klinkt niet. FKF?' Frederique trok een gezicht.

'Dat klinkt als een bank. Nee joh! Iets leuks...' Fleur kreeg een denkrimpel.

'Wij hebben al een naam.' Roos boog samenzweerderig naar voren. 'The Rose Cowboys!'

Fleur grijnsde naar Frederique en Kaat. 'Goh, Roos. Leuk, de "Roos" Cowboys. Als je wilt, kan ik mijn broer wel vragen of hij nog een oud cowboypakje heeft. Kun je dat aan. Waarom trouwens niet de Yvette Cowboys?'

Kaat proestte. Yvette keek even verbaasd op, alsof ze daar zelf nog niet aan gedacht had.

Roos keek beledigd. 'Een oud pak van je broer? Ach kom, waar zie je me voor aan?! Mijn moeder heeft héle mooie roze cowboyrokjes gemaakt en we dragen er een witte blouse bij en roze glittercowboyhoeden. En Yvette Cowboys is gewoon een minder goede naam. Rose betekent ook nog echt iets, Yvette niet. En jullie?' vroeg ze poeslief. 'Hé, ik weet wel een naam voor jullie. De Okidoki's!'

'Ha ha Roos, leuk. Niet dus!' zei Kaat bits.

The Rose Cowboys?! Fleur beet op haar lip. Dat klonk al goed, en zij hadden nog niet eens een naam.

Sven kauwde op zijn pen. Een artiestennaam?! Hij hoorde Fleur, Kaat en Roos praten. Iets over cowboys in roze pakjes. Pfff. Typische meidenpraat. Hij keek even naar het meisje schuin voor hem. Ze had net gedaan of ze hem niet zag, maar hij wist wel beter. Merel was ijverig aan het schrijven. Toen hij Merel had zien binnenkomen, was Sven bijna opgestaan om weg te lopen. Dan maar geen Teen Star. Het idee misschien te verliezen van Merel, de dochter van de vrouw voor wie zijn vader hen verlaten had... Nee, dat was bijna ondraaglijk. Aan de andere kant, hij kon ook winnen! En dan zou zijn vader natuurlijk reuzetrots zijn en zien dat hij, Sven, een leuker kind was, dat meer kon dan Merel!

Ze draaide zich abrupt om. 'Staar niet zo!' bitste ze.

'Dat doe ik helemaal niet.' Sven keek haar verontwaardigd aan.

'Ik vind het drie keer niks dat we allebei meedoen,' begon ze, 'maar dit is mijn grote kans. Dus kunnen we maar beter besluiten dat we elkaar zo normaal mogelijk behandelen.'

'We kunnen elkaar ook negeren.' Cynisch keek hij haar aan.

'Je zou ook normaal tegen me kunnen doen. Dat lijkt me een stuk volwassener. Ik zou ook veel liever zien dat onze ouders niets met elkaar hadden, maar wie weet, wat niet is kan nog komen. Tot die tijd kunnen jij en ik in ieder geval beleefd blijven tegen elkaar.' Ze keek hem uitdagend aan.

Sven overwoog haar woorden. Hij haalde zijn schouders op. 'Best.'

'Hé, Sven...' Achter hem klonk een bekende en welkome stem.

Sven draaide zich opgelucht om.

'Wat wordt jouw artiestennaam?' Fleur keek vragend van hem naar Merel.

'Weet ik nog niet. Jullie?' Sven was blij dat hij nu niet langer tegen Merel hoefde te praten en glimlachte naar Fleur.

'Zijn we nog niet uit,' zei Fleur. 'Daar gaan we nog over nadenken. Ben jij van een andere school? Zit jij in groep acht?' Nu keek ze Merel nieuwsgierig aan.

'Zie ik er nog uit als een basisschoolleerling? Duh! Trouwens, goede buikglijder daarnet...' Merel draaide met haar ogen en lachte naar Sven. 'Nou Sven, dan moet ik maar aan mijn imago gaan werken.' Ze stond op en duwde haar stoel naar achteren. Ze hing haar tas aan haar schouder en pakte haar inschrijfformulier. 'Nou, doei! Succes met het verzinnen van je naam, Sven. Ik zie je later wel weer. Kom je dit weekend? Vrijdagavond al?'

Sven zag hoe Fleur roder en roder werd. 'Ja, waarschijnlijk wel...' zei hij. Vrijdag zou hij weer naar zijn vader moeten voor het weekend.

Merel zwaaide en liep weg.

'Nou, ik, eh...' Fleur draaide een pluk haar rond haar vinger. 'Ik ga maar weer. Naam verzinnen en zo. Doei.'

'Ja, zie je.' Sven boog zich weer over zijn papier. Wat een gedoe, zeg! Hij moest zich concentreren op zijn inschrijving.

Hij kon toch gewoon Sven heten? Nee nee, dat was niet echt een artiestennaam. Artiesten hadden namen als DJ zMezz, The Y60's en noem maar op.

Hij droedelde wat op zijn papier. Sven. sVen. svEN. Kon hij het niet in symbolen doen? Hij maakte een slang van de S, maar dat zag er raar uit. Was er niet een symbool voor 'en'? Sv&. Hé! Dat was wel wat. Sv&. Iedereen wist toch wel wat '&' betekende? Hij knikte tevreden. Ja, dat werd zijn artiestennaam.

Sv&.

Miserabeler kon Fleur zich niet voelen toen ze met Frederique en Kaat naar buiten liep.

'Kop op, joh. Iedereen kan struikelen.' Kaat legde even een arm om Fleur heen.

'Daar gaat het helemaal niet om.' Fleur slikte. Ze had zin om héél, héél hard te gaan huilen.

'Wat dan wel?'

'Nou... Vrijdag is mijn feest. En ik had al niets van Sven gehoord, alleen dat hij een keer liet vallen dat hij misschien niet zou komen omdat hij het druk had. En nou...' Zonder dat ze het wilde, rolde er een traan uit haar ooghoek. Kwaad veegde ze hem weg. 'Dat meisje dat bij hem zat, hij heeft vrijdag een afspraakje met haar... en ik dacht dat hij mij leuk vond. Nou ja, dat hoopte ik. Maar nu gaat hij vrijdag met haar uit. Ze kaapt hem gewoon weg!' Ze veegde nogmaals met haar hand langs haar wang.

'Jee...' Kaat beet op haar lip. 'Da's behoorlijk rot. Had ik ook niet van Sven verwacht.'

'Heb je haar gezien?' Fleur snifte. 'Daar kan ik toch niet tegenop? Ze zit al op de middelbare, en heeft al borsten en is lang en knap en...' Kwaad trapte ze tegen een tak die op de grond lag. Ze zuchtte. 'Ik dacht écht dat ik een kansje maakte bij Sven,' besloot ze zacht.

Zwijgend liepen ze naast elkaar.

'Hé, je bent wel jarig vandaag, hoor! Kom, verdrietige gezicht opbergen en laat Sven lekker barsten! Je feest vrijdag wordt helemaal top en vandaag laat je je ook niet kisten door hem of haar.' Frederique stootte Fleur aan.

'Misschien neemt-ie haar wel mee naar mijn feest,' zei Fleur somber.

'Kun je haar in ieder geval goed in de gaten houden. Kom op, Fleur! Je bent jarig, je hebt een mobiel gekregen en je gaat meedoen aan Teen Star! Een beetje meer feeststemming graag!' riep Kaat en ze trok Fleur, die ondanks alles toch moest lachen, verder.

Appeltaart en bekentenissen

Oma was er al. Mama haalde net de appeltaart uit de oven.

'Mmm, ruikt heerlijk, mam! Heb je ook slagroom? En bolletjes vanille-ijs?' Fleur trok haar jas uit en gebaarde naar Kaat en Frederique dat ze dat ook moesten doen. Ze voelde zich alweer wat beter. Sven kon de boom in! Nou ja, in ieder geval voor nu...

Later, toen iedereen achter de taart en koffie en thee zat, vertelde Fleur over Teen Star. 'Echt, het valt mee. Je hoeft maar vier keer mee te doen, als je alle rondes haalt. Maar we moeten een goede naam verzinnen.'

'Zeker nu Roos al zo'n naam heeft. The Rose Cowboys... ugh!' Kaat trok een gezicht.

'The Rose Cowboys? Dat is toch een leuke naam?' zei mama en ze schonk oma nog wat koffie in.

Fleur had van haar oma een beltegoedkaart gekregen en een hoesje om haar mobiel in te stoppen.

'Ik vind het een stomme naam. Wij moeten iets beters verzinnen.' Frederique nam een slokje thee en trok haar benen onder zich op de bank.

'Wie doen er trouwens allemaal mee aan dat Teen Star?' vroeg mama.

Kaat en Fleur somden op.

'En Sven, hij gaat saxofoon spelen,' eindigde Fleur.

'O, die jongen die je ook voor vrijdag hebt uitgenodigd. Leuk!'

Fleur liet haar schouders zakken. 'Ja, maar hij komt niet, denk ik.'

'O? Jammer. Waarom niet?' Mama stapelde de bordjes op elkaar.

'Geen idee. Hij had geloof ik een andere afspraak.'

Op dat moment kwam Tijn binnen. Hij gooide zijn tas op de grond en liet zich met een plof op de bank vallen. 'Wie komt niet op je kleuterfeestje?' grijnsde hij.

'Sven. En wat ben je soms toch een vervelende puber, het is helemaal geen kleuterfeest!'

'Pfiew! Maar goed ook dat hij niet komt, dat modderzwijntje...' floepte Tijn eruit en werd toen rood.

Fleur keek hem aan en vernauwde haar blik even. 'Wat bedoel je met "dat modderzwijntje"?'

'Ach, dat weet toch iedereen? Dat filmpje? Dat is hij. Op internet.'

'Hoe weet jij nou dat hij dat is?!'

'Omdat wij dat zelf...' Hij zweeg geschrokken. 'Omdat, eh... nou ja, dat zie je toch zo?!'

Fleur keek hem kwaad aan. 'Wat bedoel je: "omdat WIJ dat zelf"?'

'Niets! Ik heb niets gedaan, dat deed Mark.' Tijn keek nu een beetje benauwd naar mama, die haar armen over elkaar had geslagen en hem doordringend aankeek.

'Maar jij weet er blijkbaar meer van!' brieste Fleur.

'Iedereen heeft dat filmpje gezien, ik dus ook, maar dat wil niet zeggen dat ik er iets mee te maken heb!' Tijn keek haar uitdagend aan.

'Maar hoe weet jij dat het Sven is?' Kaat bemoeide zich er ook mee. 'Niemand weet wie het is, op dat filmpje, maar jij wel.'

'Waar bemoei jij je mee!' riep Tijn nu hard.

'Nou, gezellig,' mompelde oma, 'als ik geruzie wil horen, blijf ik wel in het verpleeghuis. Daar heeft altijd wel iemand woorden met elkaar of met de verpleging.'

Fleurs ogen prikten. 'Wat ben jij laag, zeg. Je bent nog minder dan een bacterie!'

Nu stond mama op en hief haar handen. 'Ho ho. Kappen, jullie. Wat is er precies aan de hand? Fleur, jij eerst.'

En Fleur vertelde over het filmpje op internet. '...maar niemand weet wie de modderman is. Echt niemand! Maar hij,' ze wees naar haar broer, 'dus wel! En nu zou het zomaar kunnen zijn dat hij dus de maker van dat filmpje is!'

Mama zuchtte en keek Tijn aan. 'Oké, nu jouw versie.'

Tijns stem sloeg over, van hoog naar laag. 'Ach, het was gewoon een stom geintje in het bos. Hij had een klapband of zoiets en toen Mark hem wilde helpen met zijn fiets, schold hij hem uit voor eikel.'

Fleur kon zich niet langer inhouden. 'Mark van Westervoort? Nou, ik kan me niet voorstellen dat Sven Mark zou uitschelden. Mark is minstens dertig centimeter groter dan Sven en Sven zoekt nooit ruzie met iemand. Dus dat klopt gewoon niet! Sven is altijd aardig. Die Mark, dat is pas een etter!'

'Wat weet jij daar nou van, smurf?' zei Tijn treiterig. 'Jij was er toch niet bij of wel soms? Had je trouwens wel kunnen lachen, je vriendje helemaal onder de modder!'

'Hij is mijn vriendje niet!' gilde Fleur kwaad.

'Tijn?' vroeg mama streng. 'Je weet er dus wel degelijk meer van? Zo te horen was je erbij. Dat is behoorlijk laf. Goed, laten we om te beginnen dat filmpje bekijken. Fleur, pak mijn laptop eens.'

Tijn werd stil. Hij staarde naar de grond terwijl Kaat, Frederique, Fleur, mama en oma bij de laptop gingen zitten.

Nadat iedereen het filmpje had gezien, keek oma op. 'Jee... in mijn tijd bestond pesten uit elkaar uitschelden of iemands fietsband leeg laten lopen. Misschien ook wel iemand de sloot in duwen, maar verder ging het nooit. En het werd zeker niet gefilmd.'

'Dat noemen ze cyberpesten,' zei Kaat. 'Pesten via internet of MSN.'

'Nou, dat is mij allemaal te ingewikkeld, hoor! Seiberpesten, tsss.' Oma schudde haar grijze hoofd.

Mama staarde boos naar Tijn. 'Het lijkt mij, Tijn Flower,' zei ze, 'dat jij dit helemaal zelf gaat oplossen. En daar begin je nu mee.'

Slapeloze nachten

Davidio12 zegt: jee, heftig man! dus die Mark is een vriend van de broer van Fleur?! en hij was erbij toen je gepest werd?
Sven-the-man zegt: yep. en daarom kwamen Tijn en Mark vanavond hierheen. om het uit te praten. mijn moeder wist nog nix van dat filmpje, was ze best kwaad om. zei dat ik dat gewoon had moeten zeggen.
Davidio12 zegt: nou, hopen maar dat dat filmpje eraf gaat. stom eignlk, iemand zomaar filmen en op je site zetten. zou strafbaar moeten zijn.
Sven-the-man zegt: ja, filmpje is er nu af. dat hebben Mark en Tijn meteen gedaan toen ze hier waren. man, je had mn moeder moeten zien toen ze het filmpje zag. ze was woest maar ik zag ook dat ze bijna moest huilen... Tijn bleef zig verontsguldign bij haar! wel 10 x gezegd dat ie t niet zo bedoeld had.
Bloempje10 meldt zich aan.
Bloempje10 zegt: hoi...
Davidio12 zegt: hey! het feestvarken! oeps, sorry Sven! ligt natrlk gevoelig, alles wat met varkens te maken heeft...knorrr knorrr...
Bloempje10 zegt: sorry van mijn broer, Sven. hij en zijn vriendjes zijn gewoon idioten. hij heeft enorm op zijn kop gekregen van mijn ouders en heeft drie weken huisarrest. net goed!
Sven-the-man zegt: ach, kun jij ook nix aan doen. je familie heb je niet voor t uitkiezen. weet ik alles van...
Davidio12 zegt: komt vast goed! hé, hoe gaan de voorbereidingen voor Teen Star eigenlijk?
Sven-the-man zegt: wel oké. heb een nummer gekozen en oefen nu iedere dag.
Bloempje10 zegt: wij hebben ook al een liedje gekozen, moeten nog wel veel doen ervoor. dansje leren, teksten en zo. wie was trouwens dat meisje vanmiddag in de klas? die ook mee gaat doen aan Teen Star?
Sven-the-man zegt: o, dat was Merel. hey Daaf, nog naar voetbal gekeken vanavond op tv???

Fleur beet op haar lip. Als ze te veel vragen zou stellen over die Merel, zou Sven achterdochtig worden. Ze kon er nu maar beter niets meer over vragen.

Bloempje10 zegt: komen jullie trouwens vrijdag nog op mn feestje?
Sven-the-man zegt: mmm, misschien. weet niet of ik zin heb je broer te zien.
Davidio12 zegt: man, doe niet zo knorrig!
Sven-the-man zegt: David!!!!!

Sven trommelde met zijn vingers op zijn dekbed. Tadoemdadadoem. Misschien dat hij wel zou gaan, Fleur kon er tenslotte weinig aan doen. En Tijn had hem verzekerd dat hij voortaan normaal zou doen. Bovendien, hij kon niet eeuwig verstoppertje spelen voor Tijn en zijn vrienden, want als hij naar de middelbare zou gaan, zou hij ze misschien weer tegenkomen.

Hij probeerde te slapen, maar dat lukte niet. Eerder die avond had zijn mobieltje gepiept. Een berichtje dat zijn nieuwe ringtone klaar was om gedownload te worden. En opeens stond er een nieuwe ringtone in zijn map. Een leuk nummer, daar niet van, maar hij kon zich niet herinneren het besteld te hebben. En dat zat hem dwars.

Beneden hoorde hij zijn moeder aan de telefoon zitten met (S)Tom. Ze lachte en sprak op gedempte toon.

Hij zuchtte en draaide zich weer om. Au. Als hij op zijn wang lag, voelde hij zijn beugel zitten. Hij draaide zich weer op zijn rug.

Op datzelfde moment lag ook Fleur nog wakker. Ze dacht aan het msn-gesprek met David en Sven eerder die avond. Ze hoopte dat hij toch zou komen, vrijdag. Hij had verder niet verteld wie die Merel was. Ze zuchtte en draaide zich om. Misschien kon ze daar vrijdag nog achter komen, op haar feest. Nog maar twee nachten. Ze keek naar buiten, door de open gordijnen. Naast Fleurs kussen lag haar mobiel. Ze streelde hem zacht met haar hand. Zou Kaat nog wakker zijn? Het was kwart over tien. Zou ze haar nog snel een sms'je sturen?! Het was tenslotte de eerste avond dat ze hem had en bovendien, oma had haar een opwaardeerkaart van twintig euro gegeven!

Ze pakte haar mobiel.

IK HOOP WEL DAT S KOMT. HIJ IS ZOOOOO COOL! VERLIEFD VERLIEFD VERLIEFD! DENK JE DAT HIJ MIJ OOK LEUK VINDT? OF HEEFT HIJ WAT MET DIE MUS? NU SLAPEN, LEKKER DROMEN VAN HEM... XXX FLEURTJE

Ze hoorde voetstappen op de trap en drukte snel op de verzendtoets. Daarna rekte ze zich uit, geeuwde en ging liggen.

Fleur voor president!

'Wat bedoel je, dat je niets gekregen hebt?' Fleur keek Kaat aan. 'Heb je je mobiel wel aanstaan dan?'

'Ja hoor, die doe ik eigenlijk nooit uit. Ik weet nooit wanneer papa en mama kunnen bellen uit het restaurant. Soms wordt het heel laat, als er een grote groep komt eten. Dan sms't mama altijd.'

Fleur pakte haar mobiel. 'Maar ik heb je echt iets gestuurd. Hier, even opzoeken.'

Op dat moment kwam David voorbijlopen. Hij grijnsde. 'Hé, Fleur. Nog... fijn gedroomd?'

Sven liep naast hem en stootte hem boos aan.

'Huh? Wat een rare vraag,' zei Fleur, maar David was al lachend doorgelopen. Fleur drukte op de toetsen totdat ze het postvakje *verzonden* had gevonden. 'Hier, kijk maar.' Ze hield haar mobieltje op voor Kaat.

Kaat las het berichtje. 'Maar dat is mijn nummer niet. Ik weet niet aan wie je het gestuurd hebt, maar zeker niet aan mij.'

Fleur voelde het kippenvel langzaam omhoogkruipen langs haar rug en armen. Ze staarde naar David en Sven, die verderop waren gaan staan. David keek hun kant uit en stak grijnzend zijn hand op. Sven stond met een rood hoofd naar de grond te staren. Het zou toch niet...?

Paniekerig keek ze Kaat aan. 'Maar... ik heb je nummer via de contactenlijst geselecteerd, hier.' Ze ging naar de contactenlijst en zocht Kaats nummer op.

'Maar dat nummer heb je niet gebruikt,' zei Kaat. 'Je hebt het nummer dat erboven staat gebruikt en dat is van... K. Wie is K?'

'Kanjer.' Fleur kreunde en verborg haar gezicht in haar handen.

Kaat keek haar aan. 'En wie is dat?'

'Sven!' riep Fleur uit. 'O! Dit is... dit is zo afschuwelijk! Ik moet verhuizen naar Verweggistan, denk ik.'

De bel ging en met lood in haar schoenen liep Fleur naar haar klas. Haar hart bonkte zo hard dat ze misselijk werd. Wat een ramp!

Kaat probeerde haar te kalmeren. 'Joh, misschien valt het mee. Heeft hij niet in de gaten dat hij S is.'

'Nee, wie zou het anders kunnen zijn, Sinterklaas? Of zijn schimmel?' vroeg Fleur bijna huilend.

Kaat beet op haar lip. 'Nou, om daar nu van te gaan dromen...' Ze probeerde niet te lachen. 'Maar misschien wel van, eh... nou, van Silvain bijvoorbeeld. Dat is ook een jongen van school!'

Fleur rolde met haar ogen. 'Je bedoelt toch niet het broertje van Anique, hè?'

'Ja, die! Dan zeg je dat je van hem droomde en...'

'Kaat,' beet Fleur haar toe, 'Sylvain is vijf of zo en zit in groep twee.' Ze draaide zich om naar meester Bas en zonder verder naar Sven of David te kijken ging ze aan het werk.

Ook Sven deed die dag erg zijn best om alleen naar meester Bas te kijken en zéker niet Fleurs kant uit. Hij had er eigenlijk al spijt van dat hij het sms'je aan David had laten zien, want die bleef hem ermee plagen totdat Sven hem vernietigend had aangekeken en gezegd had dat het genoeg was.

Zijn hart ging sneller dan normaal. Toen hij het sms'je vanochtend had gelezen bij het aanzetten van zijn mobiel, had hij het drie keer over moeten lezen. Het was duidelijk niet voor hem bestemd geweest. Waarschijnlijk voor een van haar vriendinnen. En was hij nou die S over wie ze het had? En wie was Mus? Hij zuchtte.

'...dus Sven, als het niet ongelegen komt, willen we graag het antwoord nog vandaag hebben.'

Sven keek verschrikt op. Meester Bas stond naar hem te kijken. Eigenlijk, zo zag Sven, waren álle ogen uit de klas op hem gericht.

Behalve die van Fleur, zij was verdiept in haar schrift.

'Eh... waarop moet ik antwoord geven?' vroeg Sven benauwd.

'Op de vraag die ik je nu al twee keer heb gesteld.'

'Eh... en welke was dat?'

'Dat was: wie is de president van Amerika op dit moment?'

Sven had inmiddels een rood aangelopen gezicht gekregen. 'O. Dat is, eh...' Hij keek rond en zag hoe Fleur schaapachtig zijn kant uit keek. 'Fleur.'

De klas begon hard te schaterlachen en te joelen.

Sven werd een hele nieuwe tint dieprood. 'Ik bedoel natuurlijk niet Fleur...' Hij sloot even zijn ogen en wenste vurig dat de aarde precies onder zijn tafeltje open zou gaan en hem helemaal zou opslokken.

Maar dat gebeurde natuurlijk niet en toen hij zijn ogen opendeed, was iedereen nog aan het lachen. Iedereen behalve Fleur, die diep ongelukkig naar de grond staarde.

Meester Bas gebaarde dat iedereen rustig moest worden. 'De huidige president is niet Fleurtje Flower. Maar er is geen enkele reden,' zei hij en hij keek dreigend de klas rond, waardoor iedereen stil werd, 'geen énkele reden te bedenken waarom Fleur niet ooit de president van Amerika zou kunnen worden. Laten we eens alle landen noemen waar vrouwen aan de macht zijn, Joris, begin eens.'

Sven blies langzaam zijn adem uit.

A, B of C

'Je moet je wel concentreren! We hebben nog maar een week. Kom op Fleur, vergeet dat stomme sms'je even en let nou eens op. Jij wilt toch ook door de eerste ronde heen komen? Je wilt toch niet verslagen worden door een stelletje roze cowboys?!' Frederique had haar handen in haar zij gezet en keek geërgerd naar Fleur.

Fleur zuchtte. Natuurlijk wilde ze door de eerste ronde komen, maar ze bleef voortdurend denken aan wat er vandaag gebeurd was. En dan werd ze helemaal raar van binnen, alsof iemand alles door elkaar klutste.

'Zo erg was het toch ook weer niet?' Kaat legde een arm om haar heen. 'Nu weet hij tenminste dat je hem leuk vindt, dat had je hem anders toch nooit durven vertellen. Wie bedoelde je trouwens met Mus?'

'Dat ene meisje. Ze heet Merel, geloof ik. En da's een vogelnaam, dus ik dacht...'

Kaat grijnsde. 'Wat is nou het ergste dat er kan gebeuren? Dat hij jou niet zo leuk vindt als jij hem. En dat, Fleur Flower, overleef je ook wel weer.'

Rampzalig, dacht Fleur. En hij zou natuurlijk nooit op haar feest komen morgenavond. Toch had Frederique eigenlijk wel gelijk: ze moesten zich nu richten op Teen Star. Over een week was de eerste ronde al en ze oefenden iedere dag het liedje en het dansje. Het zag er, vonden ze, al best aardig uit. Aardig, maar nog niet fantastisch! En dat moest wel, als ze wilden winnen. Dan moest het spetteren en stralen en overweldigen.

Fleur haalde diep adem. Nou, dan vond Sven haar misschien maar niet aardig! Als ze Teen Star zou winnen, zou hij zichzelf wel voor zijn kop kunnen slaan dat hij háár niet nét zo leuk vond als die Mus, eh... Merel.

Strijdlustig keek ze op. 'Je hebt gelijk. Oké. Zet het nummer maar weer op, dan gaan we verder!'

Later die dag zat ze thuis voor de televisie. Mama en papa waren samen even naar oma, en Tijn zat boven zijn huiswerk te maken. Sinds hij mama alles had opgebiecht, was hij een stuk aardiger tegen Fleur geweest. Misschien, dacht Fleur, was hij nog te redden voor de mensheid. Ze zapte wat tussen de programma's.

Hé, de nieuwste film met Josh Hartnett! Ze legde de afstandsbediening neer en liet zich meevoeren met het verhaal. Na twintig minuten kwam er een reclameblok, voorafgegaan door een quiz. In beeld kwam een meerkeuzevraag over Josh. Makkie! Natuurlijk was het antwoord C! Fleur ging wat rechter zitten. Je hoefde het antwoord alleen maar te sms'en. En dan kon je de hoofdprijs winnen: een pakket met álle films van Josh en ook nog eens – wauw! – een grote lcd-televisie.

Fleur keek naar haar mobiel en naar het nummer dat ze moest sms'en.

Waarom ook niet? Zij wist tenminste het antwoord en papa en mama zouden wel geweldig verrast zijn door de nieuwe lcd-tv!

Snel toetste ze C en stuurde het bericht door naar 4567.

Zo!

De film begon weer. Niet veel later piepte haar mobiel. Ze had een berichtje ontvangen. Ha! Wedden dat ze haar feliciteerden met de prijs?! Snel ging ze naar **Bericht lezen**.

Het antwoord was goed geweest! Alleen in plaats van haar te feliciteren, stond er een nieuwe vraag op het schermpje van haar mobiel.

Ook makkelijk, dacht ze. Antwoord B. Ze toetste het antwoord in en verzond het.

Opnieuw ontving ze een berichtje. GEFELICITEERD! U BENT ALWEER

ÉÉN STAP DICHTER BIJ DIE GEWELDIGE PRIJS! OM NAAR DE VOLGENDE RONDE TE GAAN, MOET U ONDERSTAANDE VRAAG BEANTWOORDEN. En er volgde weer een vraag.

Fleur grijnsde. Wist ze ook het antwoord op.

Acht vragen later kreeg ze het laatste berichtje. Ze begon het een beetje beu te worden en las: GEFELICITEERD! U HEEFT ALLE VRAGEN GOED BEANTWOORD EN GAAT DOOR NAAR DE FINALERONDE. BINNEN ENKELE DAGEN ONTVANGT U DE NIEUWE VRAGEN!

Spannend! Wie weet zou ze zomaar een televisie winnen! Hoe duur was dat eigenlijk, een sms'je sturen? Het stond maar heel even in beeld. Als je belde, ging het erom hoe lang je belde. Maar dit was gewoon steeds één letter, dus korter kon niet.

Ze hoorde de sleutel in de voordeur en zette haar mobiel uit.

Mama kwam binnen met een tas vol boodschappen. 'Hoi, help even, we hebben ook inkopen gedaan voor je feest morgenavond.'

'Yes!' riep Fleur en ze sprong op van de bank.

Geen verkering

'Dus na het feestje van Fleur word je door je vader opgehaald, oké? Het is zijn weekend met jullie.'

Sven zuchtte. Ook dat nog: een weekend met het Nieuwe Enge Gezin. Als ze bij hem logeerden, moesten hij en Eva altijd een kamer delen en lagen ze in een stapelbed.

'Want we kunnen natuurlijk niet Merel en Sam zomaar uit hun kamer zetten, om het weekend!' had de Nieuwe Enge Vrouw gezegd.

Sven voelde zich ellendig.

'Heb je trouwens wel een cadeautje voor Fleur? Moeten we samen nog even iets gaan kopen?' Mam keek op en Sven knikte. 'En vergeet je saxofoon niet, kun je bij je vader ook gewoon oefenen.' Ze liep op hem af en pakte hem beet. 'Ik ben toch zo trots op je! Zomaar meedoen aan zo'n auditie! Wedden dat je ver komt?!'

Hij leunde tegen haar aan. Heerlijk om soms weer even heel klein te mogen zijn. 'Dat weet ik niet, mam. Ik bedoel, de anderen zijn ook allemaal heel goed en...'

'Maar hoeveel kinderen spelen zo mooi saxofoon als jij? Nou?'

Er klonk een gedempt liedje. Ze keken beiden op.

'O, mijn telefoon!' riep Sven uit. Hij sprintte naar zijn tas en pakte zijn mobiel eruit.

'Hé, met David! Kom je me ophalen vanavond voor het feest? Ik bedoel, je gaat toch wel? Nu helemaal! Na dat sms'je, bedoel ik!'

Sven kuchte. 'Ja. Ik ga wel. Maar dat heeft niets met dat sms'je te maken. Ik pik je wel op. Later.' Sven hing op en keek bij de berichten. Shit, weer een nieuwe ringtone! Dit werd vervelend.

'Wat voor sms'je?' Mam overhandigde hem een glas ijsthee.

'Huh?'

'Je zei door de telefoon dat het niets met een sms'je te maken had. Je wordt toch niet weer gepest of zo? Is het weer zoiets als met dat filmpje? Je moet me gewoon alles vertellen, ik kan je misschien wel helpen. Ik hoor wel eens verhalen over kinderen die gepest worden met sms'jes en zo!'

'Nee, ik word niet gepest.' Hij keek haar aan. Eigenlijk zou hij o zo graag raad willen vragen aan zijn moeder, over hoe hij nu met Fleur moest omgaan en wat hij moest zeggen. Hij schraapte zijn keel en ging aan de keukentafel zitten. 'Ik, nou ja, het zit zo, het gaat om Fleur en...' Hij vertelde alles.

Ze luisterde met een glimlach op haar gezicht en toen hij klaar was, pakte ze zijn hand. 'En jij?'

Hij haalde zijn schouders op. 'Ik vind haar eigenlijk ook wel leuk. Heb er nooit zo over nagedacht, maar van alle meisjes is zij wel de leukste misschien. Maar ik wil geen verkering of zo, yuk!' Hij trok een gezicht.

Zijn moeder moest lachen. 'Dat hoeft toch ook helemaal niet! Misschien kun je haar wel laten weten dat je haar ook leuk vindt, want zij voelt zich waarschijnlijk superrot na dat sms'je. En verder zien jullie wel wat er gebeurt. Misschien niets, misschien wel iets. Kom, ga je tas pakken, dan gaan we dat cadeautje uitzoeken. Iets met een hartje of zo...' Ze porde hem in zijn zij.

'Maham!' riep hij, maar hij was toch opgelucht dat hij het had verteld.

Partytime!

Zenuwachtig bekeek Fleur haar eigen spiegelbeeld. Ze had een nieuwe spijkerbroek aan, een wit shirt en laarzen. Mam had met haar krultang haar steile haren prachtig golvend gemaakt. Ze duwde een lok achter haar oor, zodat ze de nieuwe oorbelletjes kon zien.

'Je ziet er prachtig uit!' Mam gaf haar een kus op haar hoofd. 'Heb je er zin in?'

'Ja!' Fleur draaide zich om en pakte haar moeder vast. Ze voelde mams armen om zich heen en sloot even haar ogen. 'Ik hoop wel dat iedereen komt. Het lijkt me een nachtmerrie als je een feest geeft en de helft of zo niet komt opdagen!'

Mam lachte en streek wat haren uit Fleurs gezicht. 'Je moet maar zo denken: beter een kamer die gevuld is met de helft van je gasten die ook écht zin hebben in je feest, dan een volle kamer waarvan de helft van de mensen eigenlijk géén zin had!'

'Ja, dat wel...'

De bel ging en bij dat geluid trok de knoop in Fleurs buik helemaal samen.

'Daar zul je de eerste gast hebben die er wel zin in heeft!' zei mam en ze gaf Fleur een zetje. 'Doe maar open, enne... Heel veel plezier vanavond, liefje!'

Bijna iedereen was er al, behalve Sven en David.

Fleur stond in een berg papiertjes van de pakjes die ze gekregen had. 'Dankjewel!' Ze omhelsde Kaat even. 'Wat een prachtige make-uptas! Helemaal te gek.' Blij keek ze naar de uitgestalde cadeaus.

Tijn ging rond met een dienblad met drankjes, die mam versierd had met glitterrietjes en een suikerlaagje. Om te laten zien dat hij écht spijt had, had Tijn beloofd haar te helpen vanavond.

'Wat heb jij toch een leuke broer,' fluisterde Dunya tussen twee slokjes door tegen haar vriendin.

Fleur keek haar aan en lachte ongelovig. 'Die aap?!'

'Dat zie jij verkeerd,' zei Dunya. 'Hij is gewoon hartstikke leuk! Zo lang en zo... die haren en zo... zijn lach en zijn stem...'

'En zijn pukkels. Twintig vandaag.' Fleur grijnsde.

'Die pukkels gaan wel een keer weg. Die lach niet.'

Fleur keek verrast naar haar klasgenoot. 'Ja, daar heb je wel gelijk in.'

Op dat moment ging de bel.

'Ik... ik hoop dat je het mooi vindt.' Sven had rode vlekken tot achter zijn oren.

'Een boek over...?'

'Fossielen. O, verdorie. Zie je wel dat je het niet leuk vindt!'

'Nee nee! Ik ben dol op fossielen! Altijd al alles willen weten over fossielen,' riep Fleur gehaast uit en ze trok het boek demonstratief tegen zich aan.

'O ja?'

'Ja, wie niet?' Fleur glimlachte.

Ze stonden nu stil tegenover elkaar.

Het feest kon niet meer stuk, dacht Fleur blij, nu hij er was. 'Nou,' zei ze. 'Eh... fijn dat jullie er zijn. Mijn broer heeft een blad met cocktails – zonder alcohol, hoor! – dus pak maar lekker en dan eten we wat. En straks film kijken!'

'Yes!' grijnsde David. 'Let's party!'

Het feest was super. Tijdens de film had Fleur naast Kaat gezeten en na de pauze – met echte popcornbekers – was Sven naast haar terechtgekomen. Ze had van de laatste helft van de film aardig wat gemist, want Sven had zijn arm nonchalant op de rugleuning gelegd en als ze zich een beetje uitstrekte, kwam ze met haar rug tegen zijn arm aan. En dat was spannender dan de achtervolgingsscènes in de film!

Het enige dat haar, na afloop, toch dwars had gezeten, was dat Sven opgehaald werd door zijn vader. Fleur had nog net gehoord hoe die tegen Sven had gezegd dat hij moest opschieten, want 'Merel zat al in de auto te wachten'. Nou ja! Die Merel kwam hem dus gewoon ophalen van een, nee, van háár feestje! Natuurlijk, ze zat al op de middelbare school, dus zij zou wel heel laat naar bed gaan. Misschien gingen zij en Sven nog wel ergens heen na Fleurs feest. Fleur had enorm gebaald, maar had er niets van laten merken aan haar vriendinnen. Dat zou haar feestavond hebben verpest en dat wilde ze per se niet.

Want het was echt een superavond geweest! Ze hadden film gekeken, lekker gegeten van mams hapjes, Hints gespeeld en veel gelachen. En ze had een berg cadeautjes gekregen: een leuke handdoek met zeepjes, een make-uptas, een paar mooie pennen, haarspelden, lieve kaarten, douchegel en een, eh... boek over fossielen.

De nieuwe hobby van Fleur

Bloempje11 zegt: wat een superfeest was het! vond je niet???

Frettekettet zegt: ja!!! leuke film, had je leuk gedaan met die popcorn in de pauze, alsof het égt een bios was! super.

Frettekettet zegt: wat was dat trouwens voor kado van Sven?

Bloempje11 zegt: een boek over fossielen.

Frettekettet zegt: fossielen????? moet je daar nou mee???

Bloempje11 zegt: eh... lezen misschien?!

Frettekettet zegt: ja, da's een id, ha ha! maar jij houdt toch niet van fossielen?

Bloempje11 zegt: sinds gisteren wel, nieuwe hobby. hi hi. zeg, zag je trouwens hoe Dunya achter Tijn aan zat???

Frettekettet zegt: ja! ze vindt je broer errug leuk geloof ik...

Bloempje11 zegt: heeft ze dan helemaal geen smaak? ik bedoel: TIJN? maarre... vlgns mij vond hij haar ook wel aardig. hé, moeten we vandaag nog oefenen voor Teen Star? zal ik langskomen? als Kaat ook komt, kunnen we nog een keer de tekst doornemen. want we moeten wel winnen natuurlijk!

Frettekettet zegt: is goed! ik bel Kaat wel. zie je later! xxx

Bloempje11 zegt: later!

Warmblazen

'Sven. Sven! Hou op met die herrie, waar ben je mee bezig? Anouk probeert uit te slapen en jij maakt zo'n kabaal, de overburen worden er volgens mij zelfs wakker van!' Svens vader stond in de deuropening en keek hem geïrriteerd aan.

Sven keek verschrikt op de klok. Het was kwart voor tien in de ochtend, zo erg was dit toch niet? 'Ik ben aan het warmblazen, zodat ik zo meteen mijn stuk kan oefenen,' antwoordde hij stug.

'Wat een kabaal! Zo'n ding had je vroeger toch niet?'

Sven schudde zijn hoofd. 'Nee, deze heb ik van mam gekregen, dat had ik je toch verteld? En ik doe mee aan Teen Star, daar heb ik het vorige week over gehad. Vanmiddag heb ik een voetbalwedstrijd en dus moet ik nu oefenen.' Hij zette de saxofoon weer aan zijn mond en blies erop.

'Stop! Stop daarmee.' Zijn vader liep de kamer in en pakte de saxofoon vast. 'Anouk slaapt en Merel is ook net wakker. Dat doe je dan maar weer bij mama thuis. Of later op de middag, als iedereen wakker is, of weg.'

Sven voelde zijn keel branden. Een spiertje in zijn kaak spande zich en hij perste nijdig zijn lippen op elkaar. 'Sorry dat ik besta, hoor! Maar ik moet wel oefenen. En mama heeft daar nooit moeite mee, nooit!'

'Nou, dan doe je dat maar lekker bij je moeder. Als zij er toch geen last van heeft. Anouk wel en dit is ons huis en daarom...'

Sven plofte bijna uit elkaar van woede. 'Nou en?! Waarom moet ik rekening houden met Anouk? Ik heb er niet om gevraagd om hier te zijn. Ik wil hier helemaal niet zijn, bij je stomme nieuwe gezin! Eva en ik moeten samen een stom rotkamertje delen als we hier zijn en we moeten vooral zorgen dat niemand last van ons heeft. En die audities zijn nu eenmaal deze week al en ik moet oefenen. Het interesseert je helemaal niet! Wij interesseren jou niet langer! Je hebt nu immers je nieuwe familie, met je nieuwe vrouw en je nieuwe kinderen die nu bij je wonen. Maar als wij hier zijn, mogen we vooral nergens aan zitten en geen lawaai maken. En als Sam op zijn drumstel slaat, mag dat wel! Jammer hè, dat je ons nog steeds moet zien. Je had ons liever, net als mama, gewoon achter willen laten en nooit meer naar ons omgekeken! Jij hebt alles, alles, kapotgemaakt thuis!' gilde Sven buiten zinnen.

Anouk stond in de deuropening. Ze hield haar badjas dicht en keek verschrikt van de een naar de ander.

Sven hijgde. Hij wilde weg hier, hij voelde warme tranen over zijn wangen stromen.

Papa staarde hem sprakeloos en lijkbleek aan. 'Sven...' mompelde hij en hij wilde zijn hand op Svens arm leggen.

Maar Sven schudde hem woedend af. 'Laat me met rust! Ik ga mama bellen dat ik naar huis wil,' huilde hij. 'Het huis waar ik wel welkom ben!' Zonder nog iets te zeggen, duwde hij zijn vader en Anouk opzij en rende naar beneden, de voordeur uit.

Stoer maar ook zielig

Ze nam lachend op. Hij hoorde nog net een mannenstem die iets tegen haar zei. O ja, dat was natuurlijk die (S)Tom!

'Mam, met mij,' snifte Sven. 'Kun je me ophalen? Ik wil naar huis!'

'Sven?'

Hij hoorde dat ze schrok.

'Wat is er? Is er iets gebeurd? Is er iets met Eva?'

'Nee nee, maar ik heb ruzie met pap. Ik mag niet op mijn saxofoon spelen van hem en ik moet oefenen en...' Hij begon weer te huilen en wreef boos over zijn wangen. 'Ik wil nooit meer naar hem toe!'

'O jee, Sven...' Ze zuchtte. 'Geef je vader eens aan de lijn.'

'Dat kan niet. Ik sta op straat. Ik ben weggelopen.'

Het bleef even stil.

'Sven, ik denk toch dat je nu beter terug naar je vader kunt gaan. Ik zal je daar ophalen, je spullen liggen er tenslotte ook nog. En het kan natuurlijk zijn dat hij niet wil dat je met me meegaat, tenslotte is het zijn weekend.'

Sven beet op zijn lip. Hij voelde de slotjes van zijn beugel aan de binnenkant van zijn mond, alsof hij een hapje spijkers had genomen. 'Dan wacht ik buiten het huis wel tot jij er bent. Ik ga daar niet meer naar binnen. Ik haat hem!' Hij verwachtte dat ze zou zeggen: 'ik ook' en iets als: 'jij hoeft nooit meer naar het Enge Gezin'. Tenslotte had papa haar, nee, hen allemaal enorm veel pijn gedaan.

In plaats daarvan sprak ze hem streng toe. 'Nee, Sven. Dat mag je niet zeggen. Hij is wel je vader, en hij bedoelde het vast niet zo vervelend als jij nu denkt. Het is voor hem waarschijnlijk ook niet altijd makkelijk. Maar weet je wat, ga gewoon terug en dan wacht je buiten. Ik ben er over...' Ze pauzeerde even en hij hoorde haar wat fluisteren tegen (S)Tom, '...een kwartier. Oké?'

Hij ging op de hoek van de straat staan. Alles leek rustig op nummer 25, het huis van Anouk en zijn vader. Niemand leek in paniek rond te rennen op zoek naar hem. Sven voelde een steek van teleurstelling. Jammer. Geen politieauto's met zwaailichten die door zijn bezorgde vader gealarmeerd waren, geen helikopters die boven het huis cirkelden... Nee, natuurlijk niet, hij was pas een half uur weg. Hij liet zich op een bankje vallen en pakte zijn mobiel. Je kon er spelletjes op spelen en hij speelde Tetra en daarna Aliens. Hij zag dat hij weer een sms'je van Freetones had gekregen. Alweer een nieuwe single als ringtone. Zou dat nou geld kosten? Hij had de ringtone tenslotte niet besteld en als je iets niet bestelde, kostte het toch niets? Hij installeerde het liedje en belde toen David.

'Je raadt het nooit.' Sven duwde met zijn voet tegen een leeg blikje dat op straat lag.

Er kwam een hond aangerend, die het blikje in zijn bek nam.

'Wat?'

'Ik ben weggelopen.' Het klonk wel een beetje stoer, vond Sven, stoer maar ook zielig.

De hond legde het blikje voor zijn voeten en Sven schopte het weer weg. De hond rende erachteraan en Sven moest, ondanks alles, glimlachen. Leuk, zo'n hond.

'Dat weet ik. Je vader heeft hier al heen gebeld. Waar ben je, man?'

Sven ging rechtop zitten. Hé, was zijn vader toch ongerust? 'Eh... gewoon voor het huis. Achter een boom op een bankje.'

David begon te lachen. 'Nou, dan ben je lekker ver gekomen met je weglopen! Weggelopen tot aan de stoeprand. Ha ha!'

'Mijn moeder komt me ophalen en ze wilde dat ik weer terug naar het huis zou gaan, vandaar. Maar ik ga niet naar binnen. Wat zei-ie trouwens?'

'Iets over dat jullie ruzie hadden gehad en dat je kwaad de deur uit was gelopen. En of je bij ons was.'

'O. Nou, ik ga nooit meer terug naar hem en zijn stomme nieuwe gezin! Hij zoekt het maar uit. Hé, ik heb weer een mooie ringtone, laat ik je vanmiddag wel horen bij de voetbal.'

'Hoeveel ringtones heb jij eigenlijk?' David lachte.

'Geen idee, ik krijg er drie per week of zo.'

'Maar dat kost toch hartstikke veel geld?'

'Welnee, joh!' Sven schopte het blikje ver weg. 'Het is gratis. Dat is het leuke eraan. Het was op tv. Gratis voor noppes. Je schijnt ook gratis spelletjes te kunnen krijgen en zo. En de laatste voetbalstanden.'

'Ik weet het niet, Sven. Volgens mij kost dat veel geld, mijn zus heeft ook wel eens zoiets gedaan en zij was bakken met geld kwijt. Ik zal 'ns aan haar vragen hoe dat zat.'

Sven zag mama op de fiets de hoek om komen. De hond rende weer weg met het blikje.

'Hé, ik ga ophangen, ik zie je vanmiddag wel bij voetbal.'

Suffie!

Fleur bekeek de vraag. Het was, zo meldde het sms'je, de laatste vraag. Ze twijfelde over het antwoord. A of C? Ze was al zo dicht bij het winnen van die tv! Alle antwoorden tot nu goed. Nog maar één goed antwoord en dan zou de vrachtwagen mét de tv voor komen rijden en hem neerzetten. Papa en mama zouden zo verrast zijn!

Ze beet op haar lip. Als ze nou eens Kaat belde? Die wist dit soort dingen meestal wel, die had een abonnement op de Starworld met alle roddels en nieuwtjes.

'Met Kaat.'

'Hé, met mij. Moet je luisteren, weet jij wie de beroemde tante van Josh Hartnett is?'

'Huh?'

'Wacht, ik geef je de drie mogelijkheden.' Fleur somde ze op.

'Ik, eh... geloof de eerste. Of, nee, die laatste. Ik weet het niet zo goed. Ja, toch, de eerste. Hoezo?'

Fleur kon haar opwinding bijna niet bedwingen. 'Omdat ik op het punt sta een geweldige prijs te winnen!' En ze vertelde over de film die ze had gezien en de quizvragen na afloop.

Kaat kreunde. 'Nee toch, Fleur? Dat is stom, dat weet toch iedereen?'

'Hoe bedoel je?' Nou ja, zeg! Kaat kon toch wel iets enthousiaster zijn om haar grote prijs?

Kaat zuchtte hoorbaar. 'Dat is gewoon een slimme manier van die bedrijven om geld te verdienen. Ieder sms'je dat jij beantwoordt, kost je geld. Meestal wel een euro of meer. Hoeveel vragen heb je al gehad?'

Fleur voelde de kleur wegtrekken uit haar gezicht. 'Eh... stuk of tien? Twaalf misschien? Dertien of nog wat meer.'

'Jee, Fleur! Dan ben je al superveel geld kwijt! Dacht je nou echt dat zo'n televisiekanaal gewoon een dure tv voor niets weggeeft? Er bellen duizenden mensen voor die tv! Dus de kans dat je hem wint, is superklein. Ondertussen verdienen ze wel tienduizenden en soms wel honderdduizenden euro's aan zo'n spel. Ieder sms'je dat jij leest, kost geld en iedere keer dat je reageert, kost het ook geld.'

Oh-ooo.

'Maar,' stamelde Fleur, 'ik heb alle antwoorden goed, dus dan win ik toch gewoon? En zo veel geld kan het toch niet kosten om één letter te sms'en?'

'Het gaat niet om de grootte van je sms, het gaat erom dát je sms't. Suffie! Iedereen weet dat zoiets geld kost!'

'Dus het maakt niet uit hoeveel tekens ik gebruik?'

'Nee! Alleen als je een heel lang bericht maakt, met twee of drie pagina's. Dan betaal je per pagina. Maar als je maar één pagina verzendt, maakt het niet of je er maar één letter op zet of honderd. Snap je?'

Fleur keek beteuterd naar de grond. 'Dus al die sms'jes voor die quiz...'

'Die hebben je waarschijnlijk heel veel geld gekost. Check je beltegoed maar eens.'

'Hoe weet jij dat eigenlijk allemaal?' vroeg Fleur.

'Omdat ik ook ooit heb meegedaan met zo'n quiz en ik wist ook écht zeker dat ik die reis naar Spanje zou winnen! Nou, mooi niet en het kostte superveel geld. Dus je moet er echt mee stoppen hoor, Fleur!'

Fleur blies haar wangen bol. 'Oké,' zuchtte ze. Maar eerst zou ze nog één laatste keer haar antwoord sms'en. En als ze die tv eenmaal had, zou Kaat tóch moeten toegeven dat het nog zo stom niet was...

HELAAS HEEFT U DEZE KEER NIET GEWONNEN. MAAK DE VOLGENDE KEER OPNIEUW KANS OP PRACHTIGE PRIJZEN. WIJ DANKEN U VOOR HET MEEDOEN!

Fleur slikte en las het berichtje opnieuw. Dat kon toch niet?! Ze had het laatste antwoord ook goed ingevuld en toen had ze een bericht gekregen dat ze zou meedingen met de andere winnaars; de computer zou controleren of ze gewonnen had. En dan nu dit bericht...

Verslagen liet ze haar toestel zakken. Wat gemeen eigenlijk. De sms'jes hadden haar steeds laten geloven dat ze zó kon winnen, maar dat was dus helemaal niet waar!

Ze dacht aan Kaats woorden. Check je beltegoed 'ns...

Ze toetste het nummer in waarmee ze haar beltegoed kon opvragen. Ze had tien euro gekregen van haar ouders, plus de twintig van oma. Dertig euro, dat was best héél veel. Daar zou ze vast nog een hoop van overhebben.

'Op dit moment bedraagt uw beltegoed vier euro en achtendertig cent,' zei een blikkerige stem.

Fleur hapte naar adem. WAT? Nog maar zó weinig? Had ze echt al ruim vijfentwintig euro opgemaakt in zo'n korte tijd? Ze voelde haar keel branden. Dit was niet oké... Papa en mama zouden boos worden en zeggen dat ze niet verantwoordelijk genoeg met haar mobiel kon omgaan. Ze kreunde en verborg haar gezicht in haar handen.

Bloempje11 zegt: balen! je had helemaal gelijk over die spelletjes... kostte me idd veel €€ en ik heb niets gewonnen!

Kaat-wjnmk-Fleur-wjnmk-Fred zegt: ja, is altijd zo. mn ouders zeggen zelfs dat als je wint, je nog geen prijs krijgt. Staat heel klein ergens, dat je ouders toestemming moeten geven als je nog geen 16 bent. Anders mag je niet meedoen. En wij maar denken dat we die prijs ook egt kunnen winnen... gewoon niet meer aan meedoen!

Bloempje11 zegt: ja, wel jammer, ben nu bijna al mijn beltegoed kwijt.

Kaat-wjnmk-Fleur-wjnmk-Fred zegt: nog iets gehoord van Sv♥n sinds je feest?

Bloempje11 zegt: nee. denk dat hij toch verkering heeft met die Merel.

want daar ging hij na mijn feest nog heen...

Kaat-wjnmk-Fleur-wjnmk-Fred zegt: oeps. daar heb je nix over verteld.

Bloempje11 zegt: valt niet veel te vertellen. ik weet niet meer wat ik ermee moet. misschien hem maar uit mn hoofd zetten...

Kaat-wjnmk-Fleur-wjnmk-Fred zegt: jee, ludduvuddu...

Bloempje11 zegt: huh???

Kaat-wjnmk-Fleur-wjnmk-Fred zegt: liefdesverdriet.

Bloempje11 zegt: bye bye.

Te wáúw!

Ze zaten aan tafel. Sven pakte nog een koekje.

Zijn moeder omklemde haar mok thee. 'Tja, en nu?' vroeg ze nog maar eens.

Sven haalde zijn schouders op.

Mam had hem opgehaald bij zijn vader. Ze had erop gestaan dat hij óók mee naar binnen ging en dat ze even met z'n drieën zouden praten; zónder de Nieuwe Enge Vrouw erbij. Zijn vader had er een beetje grauw uitgezien.

Mam had uitleg gevraagd en zijn vader had verteld wat er gebeurd was: dat Sven een hoop kabaal had gemaakt en dat Anouk nog sliep. En Sven had uitgelegd dat het geen kabaal was, maar gewoon inblazen en dat als hij niet oefende, hij net zo goed niet naar de audities kon gaan en dat hij hier nooit meer wilde komen. Hij en Eva werden toch weggestopt op een stom kamertje.

Mam had geluisterd. 'Als Sven hier is, moet hij zich thuis kunnen voelen,' had ze gezegd. 'En thuis mag hij van mij oefenen.'

'Als Sven hier is,' had zijn vader gereageerd, 'heeft hij zich te houden aan de regels van dit huis en heeft hij iedereen hier met respect te behandelen; ook als hij ze niet mag.'

Mam had ongeduldig gekeken. 'Je verwacht te veel van ze, Ivo. Je vertrekt van de ene op de andere dag bij ons, hebt direct een nieuw gezin en dan verwacht je van Sven en Eva dat ze blij zijn voor jou en het net zo leuk vinden. Je verwacht dat ze zich meteen aan de regels van je nieuwe gezin houden. Het gaat allemaal veel te snel voor de kinderen en dat is niet goed voor ze. Ik neem Sven nu mee naar huis en als hij hier voorlopig niet wil komen, dan ontmoeten jullie elkaar maar ergens anders. Totdat er een oplossing komt. Eva mag zelf beslissen of ze nog een nacht wil blijven of ook meegaat.'

Maar daar was zijn vader het niet mee eens geweest en hij had erop gestaan dat Eva pas de volgende dag naar huis zou gaan, zoals afgesproken. Eva had gehuild dat ze ook naar huis wilde, maar pap was bij zijn standpunt gebleven.

Sven had zijn spullen gepakt.

Anouk had een boze blik op zijn vader geworpen toen Sven en zijn moeder de deur uit wilden gaan. 'Zo kun je hem toch niet laten gaan?' had ze verwijtend tegen zijn vader gezegd. 'Hij heeft wel een beetje gelijk, weet je.'

Sven keek over de tafel naar zijn moeder.

'Die Anouk is misschien zo erg nog niet,' mompelde ze. 'Misschien dat zij met je vader kan praten. Maar goed, voorlopig moet je je vader maar buitenshuis ontmoeten. Als jij nu even gaat oefenen en je dan omkleedt voor voetbal? En, nou ja... ik wilde je iets vragen. Zie je, omdat jij en Eva dit weekend weg zouden zijn, had ik met Tom afgesproken. Hij zou hier vanavond komen eten. Hoe sta je daartegenover?'

Sven beet op zijn lip. Natuurlijk, hij had veel liever dat hij vanavond alleen met mam zou zijn. Aan de andere kant, hij was normaal gesproken ook niet thuis geweest.

Hij haalde zijn schouders op. 'Hij blijft toch niet... slapen, hè?'

Ze glimlachte. 'Nee, vanavond niet. Maar het is misschien wel een goede gelegenheid voor jullie om elkaar te leren kennen. Als je het niet wilt, moet je het eerlijk zeggen. Dan bel ik hem af.'

Maar Sven zag aan haar dat ze dat liever niet deed. 'Oké,' mompelde hij en hij liep met zijn saxofoon naar zijn kamer.

'Dus jij bent ook fan van die club?' Tom keek hem over de rand van zijn bril aan. 'Ik ook! Jammer dat ze Milavosizc niet hebben gekocht, dat was een hele goede spits geweest.'

Sven knikte en duwde met zijn vork zijn eten op zijn bord rond. Zijn moeder had erg haar best gedaan om lekker te koken, maar op de een of andere manier had Sven niet veel trek. Het voetballen vanmiddag was slecht gegaan, de coach had hem er de tweede helft zelfs uit gehaald.

'Het is geen pingpongballetje waar je tegen trapt, hoor!' had de coach geroepen toen Sven de bal alweer een miezerig klein zetje had gegeven.

Maar Sven had zijn hoofd er niet bij kunnen houden. Hij had steeds moeten denken aan de ruzie die ochtend met zijn vader en aan hoe het nu verder moest met hen.

'En ik hoorde van je moeder dat je saxofoon speelt, dat je Dizzy Jones goed vindt. Ik ook!' Tom lachte naar hem. 'Zijn laatste plaat vond ik helemaal té wauw!'

Sven keek op. Te wauw?! Wat had die man? Hij vond alles wat Sven leuk vond ook ge-wel-dig en hij vond Dizzy Jones te wáúw? Sven zuchtte nauwelijks hoorbaar. Hij zag zijn moeder ongemakkelijk van de een naar de ander kijken.

Tom ging verder: 'En fossielen! Ik vind fossielen zelf helemaal...'

'...te wáúw?' vulde Sven aan.

Tom keek hem verward aan en werd langzaam rood.

Sven zag hoe zijn moeder op haar lip beet. Hij duwde zijn stoel achteruit en stond op. 'Even water halen,' mompelde Sven en hij liep naar de keuken. Terwijl hij de kraan liet lopen, kwam zijn moeder achter hem staan.

'Sven...' begon ze.

'Ja ja, dat was misschien niet echt aardig, maar wie zegt er nou "te wáúw"?' Harder dan de bedoeling was, zette Sven zijn glas neer.

'Hij bedoelt het niet zo, ik geloof dat hij alleen maar erg hard zijn best doet om indruk op je te maken.'

Indruk op hem? Sven keek haar fronsend aan.

'Je denkt toch niet dat je de enige bent die zenuwachtig voor vanavond was? Tom is net zo nerveus als jij, misschien nog wel meer.'

'Waarom?'

Zijn moeder legde haar hand op zijn arm. 'Omdat hij weet dat het erg belangrijk voor mij is dat jullie hem ook aardig vinden. Ik zou hem graag vaker willen zien, maar dat kan alleen als jullie hem ook zien zitten, anders werkt het niet. En voordat je iets zegt,' ze hield haar hand omhoog, 'je moet niet denken dat hij hier meteen zal intrekken of wat dan ook. Maar ik zou graag de kans krijgen hem beter te leren kennen, ik vind hem leuk. Kun je hem een kans geven?'

Sven keek haar aan en trok een gezicht. Dit was wél anders dan zijn vader het had gedaan; die had hem en Eva gewoon voor een feit gesteld: 'Dit is Anouk, en dit zijn Merel en Sam. Jullie stiefzus en stiefbroer.'

Alsof ze daar blij mee hadden moeten zijn.

'Oké,' zuchtte hij en ze liepen terug naar de eettafel.

Tom zat nerveus met een glas te spelen.

Mam legde een hand op zijn schouder. 'Nog wat risotto, Tom?'

'Ja, lekker,' zei hij onzeker. 'Hij is erg...'

'...te wauw!' riepen Sven en mam in koor uit en iedereen lachte, ook Tom.

Een vervelend sms'je

Maandag op school.

Fleur gaapte en bekeek de vragen van haar rekentoets.

850/34 = ...

Ze zuchtte. Bah, ze was eigenlijk te moe om helder na te denken. Het was een druk weekend geweest; met haar feest, een hockeywedstrijd en ook nog veel oefenen voor Teen Star. Deze week was het zover: de eerste auditieronde! Ze hadden alles klaar: kleding (spijkerbroeken, witte topjes en allemaal dezelfde make-up), de danspasjes, de teksten en wie wat zong. Ze hadden het gisteren voor al hun ouders opgevoerd – zelfs papa was enthousiast geworden – en dat was uitgelopen op een gezellige avond. Maar daardoor was ze nu wel moe.

Ze beet op haar pen en keek stiekem naar Sven. Hij zat diep gebogen over zijn werk. Ze was benieuwd wat hij nu precies ging doen, ze had hem nog nooit saxofoon horen spelen.

Kaat zat achter Sven en keek uit het raam, zag Fleur. Er was iets, dat had ze vanochtend al gevoeld. Kaat was stil geweest en in gedachten verzonken.

'Nog vijf minuten, jongens en meisjes, dan moet het ingeleverd worden. En daarna nemen we nog eens de stand van zaken door met betrekking tot Teen Star. Volgens mij zijn jullie best zenuwachtig,' zei meester Bas.

Verdorie! En ze moest nog drie vragen doen. Vlug begon Fleur te rekenen.

'Is er iets?' Fleur en Kaat fietsten samen naar huis.

Kaat haalde haar schouders op. 'Nah.'

'Je bent zo stil.'

Kaat zuchtte.

'Iets met je ouders? Je broer?'

'Nee, nee.' Kaat schudde haar hoofd. 'Het is... Ach, eigenlijk is het hartstikke stom.'

'Wat dan?!'

'Ik... nou ja, ik kreeg gisteravond laat zo'n stom sms'je.'

'Van wie?' Fleur keek Kaat aan.

'Dat is het 'm nou juist, dat weet ik niet. Het was anoniem.'

'Anoniem? Maar er staat toch altijd een nummer onder je bericht?'

'Meestal wel. Maar nu niet. Ook geen naam.' Kaat slikte.

'Wat stond erin dan?' Jee, dacht Fleur, Kaat leek echt behoorlijk van streek.

'Het was iets van: "als je niet je best doet om te verliezen bij Teen Star, weet ik je wel te vinden... en dat zal pijn doen!" '

'Wat? Maar dat is afschuwelijk!' Fleurs hart ging snel tekeer. 'Wie doet nou zoiets?! Wat zeiden je ouders ervan?'

'Die heb ik het niet laten lezen,' mompelde Kaat en ze veegde met een hand langs haar ogen. 'Ik ben bang dat ze me dan mijn mobiel afnemen. Of dat ik niet meer met Teen Star mee mag doen.'

Fleur staarde naar de weg. Wat rot voor Kaat! En wie deed nou zoiets? 'Heb je enig idee wie zo'n sms'je gestuurd kan hebben?' vroeg ze.

Kaat schudde haar hoofd.

'In ieder geval iemand die weet dat jij meedoet aan Teen Star,' zei Fleur.

'Ja, dat is de hele school. Plus de meisjes in mijn hockeyteam, mijn broer en zijn vrienden, al het personeel van het restaurant van mijn ouders en iedereen op MSN. Dus dat schiet niet op.'

'O.' Daar was inderdaad geen beginnen aan. Opeens bedacht Fleur iets. 'Het moet iemand zijn die jouw mobiele nummer heeft!'

Kaat keek op. 'Ja, dat wel...'

'Kon je niet op **Beantwoorden** drukken en dan zien welk nummer het was?' ging Fleur verder.

'Ik zei toch dat het anoniem was? Er stond geen nummer onder,' antwoordde Kaat kribbig.

'En nu?' Fleur keek haar aan.

Kaats haren wapperden in de wind als confettisliertjes. 'Dat weet ik niet,' antwoordde ze.

Ze fietsten de rest van de rit in stilte naar huis. Fleur dacht diep na. Hoe kon je nou gepest worden door middel van je telefoon? Dan was je toch nergens meer veilig? Dan kon je dus ook gewoon thuis, zonder dat iemand het wist, gepest worden. Zomaar, waar iedereen bij was. Dat was ongelooflijk eng. En laf!

En hier zijn: GRLZ

De rest van de week hadden ze het er niet meer over en leek Kaat het sms'je te zijn vergeten. Donderdagmiddag mochten alle deelnemers in de aula laten zien met welk nummer ze aan de audities zouden meedoen.

Achter het gordijn blies Sven op zijn saxofoon. Hij liet zijn tong langs zijn beugel glijden. De dag ervoor was zijn beugel weer strakker gezet en daarvan had hij een klein wondje in zijn mond gekregen. Dat deed pijn bij het blazen. Hij keek rond.

Fleur, Kaat en Frederique waren druk aan het praten, ze oefenden een pasje of zo en waren het niet eens over wie als eerste moest, leek het wel.

Mei en Lelie Huey Lin deden rek- en strekoefeningen, net als Youri, Tom en Rick. Alleen deden Mei en Lelie het gracieus en de jongens warmden hun spieren op door rare schopbewegingen in de lucht te maken.

Sven hoorde hoe Carmen toonladders op de piano speelde om haar vingers warm te krijgen. Hij keek haar even aan en ze glimlachte.

'Wij zijn de enige twee met een instrument.' Carmen speelde door zonder te kijken.

'Ja, dat maakt het wel wat moeilijker,' zei Sven. Hij liep naar de piano toe. 'Als je instrument hapert, heb je niets meer.'

Carmen haalde haar schouders op. 'Joh, het kan ook een voordeel zijn. Iedereen zingt of danst en wij niet. Misschien moeten we een duet doen! Dat zou pas indruk maken op de jury.' Ze lachte en boog toen voorover. 'Ik vind trouwens dat jij en ik de besten zijn. We verdienen het om door te gaan. Want die meiden daar...' ze knikte met haar hoofd naar Fleur en de rest, 'die zingen een cover! Dat is gewoon een gejat liedje. Mijn compositie is tenminste origineel. Heb ik zelf bedacht.' Trots keek ze hem aan.

Sven kreeg een ongemakkelijk gevoel. 'Ach, iedereen is goed op zijn eigen manier.'

'Ben ik het niet mee eens.' Carmen klonk kribbig. 'Neem hen nou. Een beetje dansen en zingen in een roze cowboypakje? Kom nou toch! En die jongens draaien wat rondjes op hun hoofd en dat is het dan. Nee, ik vind dat ik door moet gaan. Mijn ouders rekenen erop. Als ik de finale haal, krijg ik een échte vleugel! En pappie zegt dat ik dan later naar het conservatorium mag!'

'Het wat?'

'Conservatorium? Als in "muziekschool voor échte talenten"? Zoals jij en ik?' Ze keek hem aan alsof ze hem een sommetje uit groep drie uitlegde.

Sven werd even rood. Wat een akelig kind eigenlijk! Hij mompelde iets over water drinken en liep weg.

'...en voor het eerste optreden van deze middag, de jongens die onze school gaan vertegenwoordigen morgen bij de eerste ronde, zijn hier de Breakers! Geef ze een daverend applaus, jongens en meisjes!' Mevrouw Adelmonde, het schoolhoofd, lachte de jongens bemoedigend toe en liep toen het podium af.

Op de klanken van Timbaland draaiden de jongens rondjes op hun hoofd en maakten geweldige sprongen. Hun lichamen leken wel van elastiek.

Daarna dansten de zusjes Mei en Lelie op een klassiek nummer. Fleur blies langzaam uit. Haar buik voelde alsof iemand haar een flinke stomp had gegeven. Ze controleerde haar kleding voor de vijfde keer en net als de vier keren ervoor zat alles goed. Ze glimlachte even bij de gedachte aan het sms'je dat ze van mama had gekregen, een paar minuten geleden.

VEEL SUCCES VANDAAG! KUS VAN MAMA.

Ze keek weer op en wiebelde nerveus met haar voet. Pakte haar mobieltje en drukte op **Nieuw bericht schrijven.**

BEN WEL ERG ZENUWACHTIG. MAAR HET GAAT VAST GOED! KUSX

Het berichtje stuurde ze naar mama. Heerlijk vond ze dat, sms'en! Ze stopte haar mobiel weer in haar tas.

'En dan nu een jongen die ons gaat verpletteren met zijn saxofoonspel. Hier is: Sv&!'

Fleur zag hoe hij gespannen het podium betrad en ze beet even op haar lip. Sven keek nauwelijks naar de kinderen in de aula en bracht zijn saxofoon aan zijn mond. Het geluid in de aula stierf weg, iedereen wachtte af. Sven sloot zijn ogen en blies hard uit.

De eerste noten klonken afgrijselijk vals. Fleur keek geschrokken op en zag hoe Sven rood werd en met zijn tong even langs zijn mond ging. Een paar kleuters begonnen te lachen en Victor, het akelige jongetje uit groep zes, begon zacht boe te roepen. Meester Bas keek Victor streng aan.

Svens ogen schoten van links naar rechts. Verdorie! Dat kwam door dat stomme wondje, het deed gewoon pijn als hij blies. Hij kreeg tranen in zijn ogen. Wat een afgang...

Mevrouw Adelmonde liep op hem af. 'Gaat het, Sven?'

Hij knikte zacht. Echte mannen huilden niet. En zeker niet op een podium omdat ze een paar valse noten hadden laten horen ten overstaan van driehonderdachtendertig kinderen... Sven haalde diep adem. Dan maar even pijn, dacht hij. Maar hij zou ettertjes als Victor wel eens laten zien wat hij kon.

Hij zette de saxofoon weer aan zijn mond en blies. Een loepzuivere toon vulde de aula en daarna nog een en nog een, ze mengden zich tot het jazznummer dat hij ingestudeerd had. Alle noten samen kregen de hele aula stil, iedereen zat vol bewondering naar Sven te kijken.

Fleur keek stiekem de zaal in en zag de verrukking en de verbazing op alle gezichten. Dit hadden ze nooit verwacht, dat hij zo'n talent had. Mevrouw Adelmonde kreeg tranen in haar ogen en meester Bas begon op de maat mee te klappen. Steeds meer kinderen klapten mee, totdat bijna niemand meer stilzat. Fleur keek naar Sven, ze voelde haar hart tekeergaan. Wat was hij toch leuk! Knap! Muzikaal!

Sven merkte er niets van. Hij ging, met zijn ogen dicht, helemaal op in zijn optreden en vergat alles en iedereen om zich heen. Pas na de laatste noot opende hij zijn ogen en zag hoe alle mensen in de zaal van hun stoel kwamen.

Hij kreeg een staande ovatie.

'...ten slotte onze laatste act van vandaag. Hier zijn: GRLZ!'

Fleur, Kaat en Frederique betraden het podium onder luid gejuich van hun klasgenoten. Fleur keek rond. Overal gezichten van kinderen die ze kende van school. En ook van leerkrachten en de conciërge. Ze slikte. Hoe had ze ooit kunnen denken dat dit leuk was? Ze keek naar Kaat en Frederique. Die leken nergens last van te hebben. Die leken het alleen maar leuk te vinden. En ja, dat was het natuurlijk ook, daar was het allemaal mee begonnen. Dat het leuk moest zijn. Fleur ademde diep in, rechtte haar rug en de muziek klonk hard door de aula.

Ze zongen en dansten, geen pasje verkeerd, geen noot vals. Het eerste optreden van de groep zat erop! En na afloop nam GRLZ het applaus buigend en grijnzend in ontvangst. Dit, dacht Fleur, was geweldig! Het leukste dat er was. Op Sven na dan...

De eerste rekening...

Sven zuchtte en legde zijn mobiel op de keukentafel. Alweer een nieuwe ringtone... Hij kreeg er wat van!

David gooide zijn tas op de grond. 'Dat ging hartstikke goed, man. Nou ja, behalve in het begin dan. Maar daarna... Wauw! Je blies iedereen van zijn sokken, man!'

Sven haalde zijn schouders op en pakte de stapel post die op de tafel lag. 'Ja, ging wel. Ik moet nog wel behoorlijk oefenen voor morgen.' Hij bekeek de envelop in zijn handen.

Het was van de provider van zijn mobiel en er stond **factuur** op de envelop. Wat zou dat nou kosten, zijn abonnement? Hij wist dat het tien euro per maand was, maar zou er nou nog meer geld afgeschreven worden? Voorzichtig draaide hij de envelop om en schoof een vinger langs de plakrand.

'Wat doe je nou?' David keek hem vragend aan.

'Dit is de eerste rekening van mijn mobiel. Ik wil wel eens zien wat dat nou kost.'

'Maar je moeders naam staat erop. Dat maak je dan toch niet open?! Man, mijn vader flipt altijd als iemand anders zijn post openmaakt!'

'Het is toch míjn mobiel?' En nog voordat David verder iets kon zeggen, had Sven de envelop met een vinger opengeritst. Hij las het bedrag en werd langzaam wit. Dat kon toch niet? Zo véél? Geschrokken liet hij de brief vallen.

'Wat?' David keek op en pakte de brief van Sven. 'Jee, man! Da's heftig. Wat een bedrag! Dat je moeder zoiets voor je wil betalen.'

Sven staarde opnieuw naar de rekening. Naast zijn abonnementskosten stond een bedrag van bijna veertig euro. Voor een of ander ringtone-abonnement.

'Maar het was toch gratis,' mompelde hij.

'Wat was gratis?'

'Nou, die ringtones. Dat was op de reclame, dat het gratis was. Ze zeiden het zelf: "Download je gratis ringtone!". En moet je dit nou eens zien. Bijna veertig euro! Waar haal ik dat vandaan? Man, als mijn moeder dit ziet...' Sven voelde zich misselijk worden.

'Dat is ook wel stom natuurlijk. Iedereen weet toch dat zoiets nooit gratis is. Alleen de eerste is gratis en verder zit je aan een duur abonnement vast. Heb je de voorwaarden niet gelezen? Mijn zus heeft het ook een keer gehad. Die dacht ook dat het gratis was. Je moet dat gedoe met die ringtones echt onmiddellijk zien te stoppen!'

Sven vouwde de rekening op en stopte hem in zijn broekzak. Die kon mam maar beter nog niet zien, bedacht hij. Niet voordat hij zélf iets bedacht had om het bedrag te kunnen betalen. Maar hoe?!

Lang kon Sven er niet over nadenken, want de volgende ochtend waren de eerste echte auditieronden. Deze vonden plaats in het theater en Sven was er afgezet door zijn moeder.

'Ik kom straks kijken, hoor,' riep ze. 'Ik heb een kaartje weten te bemachtigen. Succes, lieverd!'

Nu stond Sven achter de coulissen en hij spiekte de zaak in. Alle plaatsen waren bezet. Sven keek of hij zijn moeder al zag in het publiek. Of zijn vader...

Maar de enige die hij zo snel zag, was Anouk. Daar op de derde rij voor hem.

Wat deed zij nou hier?! Hij keek nog eens goed of hij zijn vader niet naast haar zag, maar ze was er alleen met Sam, zag hij nu.

Zou ze voor hem...?

Opeens hoorde hij een stem achter zich.

'En? Bang?' vroeg Merel spottend.

Sven richtte zich op. 'Bang? Voor jou zeker? Helemaal niet!' Natuurlijk, Anouk was voor haar dochter Merel gekomen. Nu wenste hij helemaal dat zijn vader er niet was, want na de ruzie zou die misschien ook alleen voor Merel komen. Bah!

'Waarom zou je bang voor mij zijn? Nou ja, dat snap ik wel trouwens. Lijkt me vreselijk voor je, verliezen van mij!' Ze schoof haar lange blonde haren achter haar oor. Als ze niet onuitstaanbaar was geweest, dacht Sven, en niet de dochter van zijn vaders Nieuwe Enge Gezin, had hij haar best knap kunnen vinden. Te oud voor hem, te wijs, maar wel knap.

'Verliezen van jou? In je dromen,' zei Sven en hij liep weg. 'Succes met het uithuilen straks, als je verloren hebt!'

De acts volgden elkaar snel op. Als een van de eersten mocht Carmen, daarna kwamen de breakdansers en ook GRLZ was al gauw aan de beurt.

Sven stond achter de gordijnen toen Fleur, Kaat en Frederique langs hem liepen om het podium op te gaan. Hij pakte Fleurs pols even vast en verrast bleef ze staan.

Voordat ze wist wat er gebeurde, boog hij zich opeens naar haar toe en fluisterde in haar oor: 'Succes! Je kunt het.' Toen liet hij los.

Op vleugels liep ze het podium op. Zou Sven haar toch...? Misschien wel. Hij had niets tegen Kaat en Frederique gezegd. Alleen tegen haar. Maar ze had hem ook zojuist met die Merel zien praten. De moed was haar in de schoenen gezakt, want Merel zag er prachtig uit vandaag. Alle jongens zouden als een blok voor haar vallen; ze had er inderdaad al wat van hun school gezien die hun ogen niet van Merel hadden kunnen afhouden.

Lang had ze niet meer om erover na te denken. De lichten doofden, de spotlights gingen aan en de muziek begon.

De eerste woorden kwamen er haperend uit, totdat Fleur aan de woorden van Sven dacht. 'Je kunt het!'

Dit was haar kans. Ze haalde diep adem, lachte naar haar vriendinnen en met elkaar zetten ze een geweldige act neer.

Twee uur later was de eerste auditieronde voorbij.

'Wat een show! En wat een talenten, vindt u niet? Laten we nog één keer voor ze klappen. De jury krijgt het nog moeilijk vanavond,' zei de presentatrice. 'Ondertussen kunt u gaan kijken naar de winnende act van vorig jaar. Hier zijn: dBeatBoys!'

Nerveus dronken ze een glas fris in het artiestencafé, waar een opgewonden stemming heerste.

'Dat ging goed. Maar bijna iedereen was goed,' zuchtte Frederique.

Ze moesten nu wachten tot de jury had besloten welke acts door zouden gaan naar de volgende ronde.

'Ik vond die ene dansgroep erg goed, daar.' Frederique wees naar een paar Spaans uitgedoste meiden. 'En haar ook.' Nu wees ze naar Merel, die aan de bar hing, naast Sven en nog een paar jongens.

Fleur probeerde er niet op te letten en concentreerde zich op wat Frederique zei.

'En hij was ook goed, zeg!' Frederique knikte in de richting van een jongen die gitaar had gespeeld en erbij gezongen had.

Fleur keek weer naar Merel. Die was inderdaad erg goed geweest. Balen. Ze zuchtte. En knap en muzikaal en al een stuk ouder... Geen wonder dat Sven altijd bij haar in de buurt rondhing.

Kaat was wat stiller.

'Kop op, zeg!' Frederique stootte haar aan. 'Wij waren óók goed, hoor!'

'O. Ja. We waren inderdaad goed.' Maar ze zei het op een toon alsof ze hun meedeelde hoe laat het was.

'Wat is er?'

'Niets. Ach, eigenlijk...' Kaat wipte met haar voeten op en neer.

'Weer zo'n stom sms'je. Dat ik maar beter een paar valse noten kon gaan zingen en zorgen dat we niet doorgaan naar de volgende ronde, of anders...'

Fleur en Frederique keken elkaar aan. Arme Kaat.

'Of anders wat?' vroeg Frederique.

'Puntje puntje puntje.' Ondanks zichzelf moest Kaat toch lachen.

'Of anders puntje puntje puntje?! Zeg, van wie zijn die sms'jes eigenlijk?' Frederique keek Kaat verontwaardigd aan.

'Van Anoniem.'

'Wat ontzettend laf!' riep Frederique uit.

'Wat is laf?' Zonder dat ze het merkten, was Carmen bij hen komen staan.

'O, Kaat krijgt laffe sms'jes van iemand die wil dat ze stopt met Teen Star. Dat geloof je toch niet?' Frederique keek nu naar Carmen.

'Goh. Dat is rot. En? Ga je nou stoppen?'

'Stoppen? Nou nee, daar denk ik eigenlijk niet aan,' zei Kaat onthutst.

'Maar je wordt toch bedreigd? Dat is het dan toch niet waard?' Carmen legde een hand op Kaats arm. 'Ik zou het wel weten. Ik zou ervoor kiezen om te stoppen en het volgend jaar weer proberen.'

'Misschien.' Kaat haalde haar schouders op.

Fleur keek Carmen bedachtzaam aan. Carmen keek terug en wendde snel haar blik af. Op dat moment hoorden ze de bel. Iedereen begon druk door elkaar te bewegen en ging op weg naar de coulissen. De jury had besloten wie er door mochten.

De dag ná de eerste auditieronde

Bloempje11 zegt: we zijn dus door naar de tweede ronde!!!!! om vleugels van te krijgen!

Kaat-wjnmk-Fleur-wjnmk-Fred zegt: ja!!!! onze school deed het SUPER! Sven, Carmen en wij door!

Bloempje11 zegt: ja! en de Roze Cowboys kunnen hun roze pakjes weer gewoon in de kast hangen. kon vannacht niet slapen, moest steeds denken aan de show gisteren. het was ook zó egt! het theater, het podium, alle lichten, de andere scholen en deelnemers... egt zo vet!

Kaat-wjnmk-Fleur-wjnmk-Fred zegt: voelde me ook helemaal een ster. er zaten trouwens allemaal goede acts bij, zeg! die Merel was echt goed. terecht dat ze door is. net als dat ene meisje, Rozella of zo? die kon zooooo goed en mooi zingen!

Bloempje11 zegt: ja! kan bijna niet wachten tot volgende week. maar dan doen er zo veel acts mee... oei! en daarna hopelijk de halve finale! Hé, misschien kun je wel een foto van me maken...

Kaat-wjnmk-Fleur-wjnmk-Fred zegt: tuurlk. hoezo?

Bloempje11 zegt: nou, met mijn mobiel kun je ook foto's maken. dus als jij nou een foto van me neemt, kan ik die doorsturen naar mijn oma, die kan er niet bij zijn. maar op die manier wel! dat is toch zo leuk aan mobieltjes!

Kaat-wjnmk-Fleur-wjnmk-Fred zegt: ja, dat is leuk! maak wel een foto van jou voor je oma. o, wacht, krijg nu juist een sms. ff lezen.

Bloempje11 zegt: en Sven was ook goed, vond je niet? en Carmen ook wel, maar die is best fanatiek vlgns mij, denk je niet?

Bloempje11 zegt: Kaat? hallllloooooo? ben je r nog?

Bloempje11 zegt: Kaat?????

Kaat-wjnmk-Fleur-wjnmk-Fred zegt: ja... was weer zo'n rotbericht van Anoniem!

Bloempje11 zegt: o jee! wat stond erin?

Kaat-wjnmk-Fleur-wjnmk-Fred zegt: dat ik niet mijn best heb gedaan om te verliezen en het nu wel zal merken. puntje puntje puntje... wat moet ik nu? ik denk dat we maar moeten stoppen.

Bloempje11 zegt: nee! je laat je toch niet bang maken????? zeg het nou gewoon tegen je ouders! kunnen we r egt niet achter komen wie het is?

Kaat-wjnmk-Fleur-wjnmk-Fred zegt: weet ik niet... vind het wel eng eigenlijk.

Bloempje11 zegt: r zit me wel iets dwars.

Kaat-wjnmk-Fleur-wjnmk-Fred zegt: vertel???!

Bloempje11 zegt: nou... Car zei gisteren iets. dat zij zou stoppen omdat dat beter is dan bedreigd te worden.

Kaat-wjnmk-Fleur-wjnmk-Fred zegt: en?

Bloempje11 zegt: nou, vond je het niet raar dat zij wist dat je bedreigd was? dat had je niet gezegd, dus hoe kon zij dat nou weten?

Kaat-wjnmk-Fleur-wjnmk-Fred zegt: had ze misschien al gehoord voordat ze bij ons kwam staan? ag kom! je denkt tog niet dat Car...??? nee joh! die's hartstikke aardig.

Bloempje11 zegt: hm, je zal wel gelijk hebben. wat ga je vandaag doen?

Kaat-wjnmk-Fleur-wjnmk-Fred zegt: ik ga naar de stad met mam om nieuwe kleren te kopen. even wat afleiding!

Bloempje11 zegt: vertel het haar nou!

Kaat-wjnmk-Fleur-wjnmk-Fred zegt: misschien. nou, doei.

Bloempje11 zegt: ja, tot maandag. kuzz.

Ringtone off!

'Maar je zult papa toch weer een keer moeten zien, Sven. Anders kan hij naar de rechter stappen en eisen dat je bij hem komt.'

Sven keek naar zijn moeder. Ze zaten samen op de bank. Eva was een uurtje daarvoor vertrokken voor haar weekend bij papa. Ze had gehuild omdat Sven niet mee wilde. Die had zich in zijn kamer opgesloten totdat zijn vader de straat uit was met Eva.

'Maar ik wil hem even niet meer zien. Ik was al blij dat hij er gisteren niet was, bij de show.' Sven duwde met zijn voet tegen het tapijt. Sinds de ruzie had zijn vader hem meerdere malen geprobeerd te bellen op zijn mobieltje, dat zag Sven aan het nummer. En dan drukte hij het gesprek weg, want hij had helemaal geen zin in zijn vader. Ook had zijn vader twee keer een sms naar hem gestuurd. Dat hij Sven graag zou zien om het uit te praten en de tweede keer dat hij Sven miste.

Nou, had Sven gedacht, dat had zijn vader maar moeten bedenken vóórdat hij uit huis vertrok! Maar ergens diep van binnen miste Sven zijn vader vreselijk.

Mama beet even op haar lip. 'Oké. Nog een week, en dan zul je hem toch echt onder ogen moeten komen. Jullie moeten hier samen uit proberen te komen. En anders met behulp van een therapeut of zo. Nou, ander onderwerp. Wat was het een geweldige show gisteren! Ik was zo enorm trots op je. Je heb echt talent, Sven, met de saxofoon.'

Sven grijnsde opgelucht.

'Zeg... dat meisje, Merel, die dat liedje van Nelly Furtado zong. Dat is toch de dochter van Anouk?'

Sven haalde zijn schouders op. 'Ja.'

Merel was na de show nog even naar hem toe gekomen in het artiestencafé om te zeggen hoe goed ze hem had gevonden. Onwillig had hij moeten toegeven dat zij ook goed gezongen had, en later bleek dat ze allebei door waren.

'Die was best goed eigenlijk. Anouk zei nog even gedag tegen me bij de garderobe. En die Floor...'

'Fleur. Ze heet Fleur.'

'O, oké. Fleur en haar groepje konden ook erg leuk zingen! Vind je haar nog steeds leuk?'

Sven knikte. Hij keek even naar zijn moeder. Sinds ze met die (S) Tom was, leek ze gelukkiger. Minder boos op zijn vader. Ze zong vaker en huilde minder. Misschien was die (S)Tom zo stom nog niet...

'Waarom zeg je dat niet eens tegen haar? Of je vraagt of ze wat met je wil gaan drinken na school, een milkshake bijvoorbeeld. Of je vraagt of ze bij je voetbaltraining wil komen kijken.'

'Dat durf ik nooit!'

'Natuurlijk wel. Joh, zoals ik het zie, vindt ze jou ook erg leuk. Dus waarom zou je het niet proberen? Ik weet zeker dat ze het een superidee vindt!'

Sven lachte even. Misschien... Zijn mobiel ging. Hij haalde hem uit zijn broekzak en keek naar het nummer. Als het zijn vader was, zou hij niet opnemen.

Maar het was David. 'Hoi, met mij. Kom je even online? Chiarra komt ook online en zij kan je dan vertellen hoe je van die ringtones afkomt.' Chiarra was de oudere zus van David. 'Ik heb haar alles uitgelegd en zij weet wel wat je moet doen.'

'Oké!' Svens hart ging wat sneller. Ja, van die ringtones moest hij echt af. Nooit zou hij meer zo stom zijn om te geloven dat zoiets gratis was, nooit!

Sven-the-man zegt: dus dat is alles? ik sms gewoon ringtone off naar dat nummer waar ik me op geabonneerd had?

Chiarra♥Paul zegt: ja. of stop sms en dan naar dat nummer. dan houdt't op. heb het zelf ook gehad een jaartje geleden. heeft bakken geld gekost.

Davidio12 zegt: yo! en wat ga je aan die rekening doen?

Sven-the-man zegt: weet niet. mijn geld is op, had ik bijgelegd toen we deze mobiel kochten... ben nu dus blut.

Chiarra♥Paul zegt: misschien kun je een baantje krijgen? folders rondbrengen of zo?

Sven-the-man zegt: maar ik heb al zo weinig tijd... huiswerk, oefenen voor Teen Star, voetbal.

Chiarra♥Paul zegt: tja. dan weet ik het ook niet. gewoon tegen je moeder zeggen dat je een paar weken geen zakgeld hoeft tot het afbetaald is.

Davidio12 zegt: da's best een goed plan. als zus ben je zo stom nog niet.

Chiarra♥Paul zegt: Sven, als je nog vragen erover hebt, hoor ik het wel. nu ga ik naar Paul, we zouden naar de bios gaan.

Davidio12 zegt: o Paul!!!!!

Chiarra♥Paul zegt: wacht maar tot jij een meisje hebt! dan ben je nog niet van me af, broertje! o, voor ik het vergeet. Sven, was jij dat nou in die modder???

Jij bent het!

Het was rumoerig in de klas. Iedereen had het over de eerste auditieronde. Roos en Yvette zaten zuur voor zich uit te kijken.

'De jury was gewoon niet professioneel,' zei Roos. 'Ze herkenden écht talent niet. Onbegrijpelijk dat sommige mensen,' en daarbij keek ze indringend naar Fleur en Kaat, 'wel zomaar doorgingen naar de tweede ronde.'

'Je bent gewoon jaloers,' zei Frederique en ze stak haar tong uit.

'Ach, jullie hadden gewoon niet mogen winnen! Ze wilden natuurlijk gewoon maar één meidengroep hebben. Dat hadden wij moeten zijn, wij waren veel beter. Hadden jullie maar nooit meegedaan,' zei Roos nijdig.

Opeens keek Kaat haar strak aan. 'Dus jij bent het!'

'Wat ben ik?' Roos keek Kaat uitdagend aan.

'Jij bent Anoniem!'

'Hoe bedoel je? Anoniem?' Roos ging staan, zodat ze Kaat kon aankijken.

Inmiddels waren er allemaal klasgenoten om Kaat en Roos heen gaan staan.

'Ze bedoelt dat jij die bedreigingen hebt gedaan! Jij hebt gedreigd dat je haar pijn zou doen,' riep Carmen fel uit. 'Wat gemeen van je!'

Fleur keek Carmen even aan. Carmen en Kaat waren nooit echt vriendinnen geweest, maar nu leek het wel of Carmen Kaat moest beschermen of zo.

Kaat keek Carmen dankbaar aan.

Roos was ondertussen rood aangelopen. 'Ik... ik heb niemand bedreigd! Hoe kom je daarbij?'

'Jawel. Via sms!' Carmen zette haar handen in haar zij en keek Roos aan.

Roos keek wanhopig de groep rond. Ze had tranen in haar ogen gekregen, zag Fleur. Opeens kreeg ze medelijden met Roos. Ze zag er echt uit alsof ze nergens van afwist.

'Wat is hier aan de hand?' Iedereen schrok van de harde stem van meester Bas. 'Ik dacht dat jullie allemaal in een roes zouden zitten vanwege Teen Star, maar nou hebben jullie ruzie?'

'Goed, dus als ik het nu goed begrepen heb,' zei meester Bas tegen de klas, 'dan komt het wel eens voor dat jullie gepest worden via je mobiel.' Hij krabde zich achter zijn oor.

Iedereen zat aan zijn eigen tafel. Roos had gehuild en snifte nog wat na. Kaat keek alsof ze zich opgelucht en ellendig tegelijk voelde. Meester Bas had iedereen uit elkaar gehaald en toen gevraagd wat er aan de hand was. Carmen had gezegd dat Kaat gepest werd via haar mobiel door Roos en Roos was in tranen uitgebarsten en had alles ontkend. Kaat had moeten uitleggen wat voor sms'jes ze had gekregen en dat er steeds **Anoniem** onder had gestaan. Roos had gezegd dat ze er niets mee te maken had. Carmen bleef bij haar beschuldiging totdat meester Bas had ingegrepen.

'Ho! Je mag niet zomaar iemand beschuldigen. Roos, je zegt dat jij er niets mee te maken hebt.'

'Nee,' snufte Roos. 'Ik heb niet eens een mobiel. Dus hoe zou ik dat dan gedaan moeten hebben?'

Carmen was wit weggetrokken en Kaat had geschrokken naar Roos opgekeken. Die had zacht gehuild.

Meester Bas ging op de rand van zijn bureau zitten. 'Dit is allemaal nieuw. Vroeger werd je gepest door iemand die voor je stond, maar tegenwoordig, met MSN en mobieltjes en internet, kun je gepest worden zonder dat je weet wie het doet, zonder dat je diegene ziet. Tja... Wat gaan we hieraan doen? Ik ga er maar even van uit dat Roos er niets mee te maken heeft en dat we dus nu niet weten wie die Anoniem wel is.'

Fleur stak haar vinger op. 'Maar hoe kun je daar dan ooit achter komen?'

Meester Bas keek de klas rond. 'Daar zijn natuurlijk wel oplossingen voor. Je zou, als het echt te gek wordt, de provider kunnen bellen. Zij kunnen uitzoeken waar het bericht vandaan komt. Maar eerst even een vraag. Wie hier in de klas is wel eens gepest op deze manier, via een sms?'

Drie kinderen staken hun vinger op.

'Nadine, wil jij er wat over vertellen?'

Nadine liet haar vinger zakken. 'Het was niet echt pesten, mijn ouders noemden het stalken.'

'Hoe zeg je? Stolken? Wat is dat?' vroeg Pieter.

'Stalking is dat iemand je achtervolgt. Het is een Engels woord. Het kan bijvoorbeeld zijn dat iemand de hele tijd om je huis gaat hangen. Of dat iemand je steeds belt of via chatten steeds in contact met je probeert te komen zonder dat je dat wilt.'

Meester Bas keek naar Nadine. 'Hoe werd je dan gestalkt?'

'Nou, ik werd steeds gebeld en zodra ik opnam, hing die persoon op. Uiteindelijk kwamen we erachter dat het een jongen uit een andere groep was. Mijn ouders zijn toen met de leerkracht en met zijn ouders gaan praten en toen hield het op.'

'En jij, Sanne?' Meester Bas ging even verzitten.

Fleur luisterde gespannen. Dat je zo gepest kon worden met je mobiel! Ze dacht dat een mobiel alleen maar heel erg léúk was, maar soms konden er dus wel degelijk enge of vervelende dingen mee gebeuren.

'Ik werd gepest via MSN. Ik had een hele lijst met vrienden en daar zaten ook weer vrienden van mijn vrienden tussen en toen ben ik via MSN gepest. Nu heb ik een nieuwe account en checken mijn ouders eerst wie er allemaal op mijn vriendenlijst staan. Ze hebben een hele goede regel bedacht: als ik iemand niet persoonlijk ken, mag die persoon ook niet op mijn vriendenlijst komen.'

'Oké, prima gedaan dus. Daar moeten we het trouwens een andere keer nog eens over hebben, over chatten. En Maarten, jij stak ook je vinger op. Wil jij er ook over vertellen?'

Maarten vertelde dat hij van een jongen van zijn voetbalteam steeds hele vervelende berichtjes had gekregen. 'Dat het mijn schuld was dat we hadden verloren en dat soort dingen. Dat hij me in de volgende wedstrijd wel zou laten struikelen zodat ik een hele poos niet meer mee kon spelen.' Maarten kreeg rode vlekken in zijn gezicht.

'En hoe heb je dat opgelost?'

'Nou, ik heb uiteindelijk een andere aanbieder gezocht en ik kreeg een nieuw telefoonnummer. En dat geef ik niet meer zomaar aan anderen. Alleen aan mijn familie en aan mijn beste vrienden.'

'Goed opgelost dus!' Meester Bas pakte een krijtje en begon op het schoolbord te schrijven. 'Laten we eens samen bedenken hoe je met een mobiel omgaat. We stellen een eigen mobiele code op. Wie eerst?'

De Mobiele Code van groep 7B

Meester Bas keek de klas rond. 'Kan iedereen zich hierin vinden? Jullie hebben de code tenslotte helemaal zelf opgesteld en ik moet zeggen: ik ben onder de indruk! Laten we allemaal deze regels op een vel papier schrijven. Dat papier neem je mee naar huis en je bespreekt het met je ouders. Daarna laat je het door hen ondertekenen en neem je het weer mee. Maarten, deel jij even deze blaadjes uit.'

Iedereen roezemoesde door elkaar terwijl Maarten de blaadjes ronddeelde. Dit was een hele leuke les! Fleur keek naar het schoolbord.

Mobiele Code (MobCo)

1. Ik geef mijn nummer alleen aan goede vrienden en aan familie.
2. Ik open geen berichten van mensen/nummers die ik niet ken, ook niet van anonieme zenders. Deze berichten verwijder ik ongeopend.
3. Ik maak met mijn mobiel geen foto's/filmpjes van anderen als ze dat zelf niet willen.
4. Ik zet geen foto's/filmpjes van anderen die ik met mijn mobiel heb gemaakt op websites zonder hun toestemming.
5. Ik zet mijn mobiel uit in de klas.
6. Ik zal geen anonieme berichten sturen naar anderen.
7. Ik geef het telefoonnummer van mijn vrienden niet door aan anderen. Als iemand een telefoonnummer zoekt, moeten ze dat aan die persoon zelf vragen.
8. Als er iets vervelends gebeurt op mijn mobiel, zal ik mijn ouders en/of de leerkracht van school hiervan op de hoogte stellen.
9. Ik let op dat ik geen dure abonnementen afsluit met spelletjes en ringtones als ik daar het geld niet voor heb.

Fleur pende de code zorgvuldig over op haar vel papier. Ze maakte een stippellijntje, zoals meester Bas voordeed, waarop ze haar eigen naam kon zetten, en een voor de handtekening van haar ouders.

'Waarom moeten onze ouders eigenlijk tekenen?' vroeg Mathijs.

'Omdat het belangrijk is dat je dit met je ouders hebt besproken en ook samen afspraken maakt over waar je je aan houdt.'

Op dat moment klonk er een ringtone. Iedereen keek op.

Meester Bas werd langzaam rood en rommelde in zijn tas. Hij haalde zijn mobiel eruit en keek even wie het was. 'Met Bas. Liefje, je kunt me beter niet meer op het werk bellen. ... O! Echt? Echt waar?! Maar dat is geweldig nieuws! Jee... Wanneer dan? ... Geweldig nieuws! Oké, ik zie je straks. Ja, ik ook van jou...'

De klas gniffelde.

Meester Bas werd nog roder. 'Nu ga ik hangen, maar het is echt geweldig nieuws!' Hij hing op en keek even de klas rond. 'Eh... ja, waar waren we?'

Fleur stak haar vinger op. 'De code geldt ook voor u, hoor! Regel vijf: ik zet mijn mobiel uit in de klas.'

Hij lachte. 'Je hebt gelijk. De regels gaan dan ook vanaf nu in. Dus iedereen die zijn mobiel aan heeft: pak hem uit je tas of uit je bureaulaatje en zet hem uit.'

Ongeveer de helft van de klas pakte zijn mobieltje en zette deze uit.

'Meneer?' David keek vragend naar meester Bas.

'Hm?' Meester Bas staarde dromerig uit het raam.

'Wat was dat voor geweldig nieuws?'

Meester Bas keek blij de klas rond. 'Ik word over negen maanden vader!' riep hij hard uit.

Opbiechten

Mam bestudeerde de mobiele code en nam ondertussen af en toe een slokje van haar thee. ‘Zo, best goed eigenlijk!’ Ze keek Sven aan. ‘Dus nu moet ik dit tekenen en jij ook, en dat betekent dat we allebei weten aan welke afspraken jij je moet houden? Wat een slim plan! Wie heeft dit contract eigenlijk gemaakt?’

Sven nam een hap van een geschilde appel. Sinds hij een beugel had, mocht hij geen hele appels meer en kon hij alleen maar partjes eten. ‘Wij allemaal,’ zei hij tussen twee partjes door. ‘Samen met meester Bas. Iedereen mocht wat zeggen en zo kwamen we tot deze code.’

‘Wat verstandig van jullie! Hier: mobiel uit in de klas. Ja, dat lijkt me logisch. En deze: geen dure abonnementen afsluiten. Ook erg logisch.’

Svens hand met een partje appel bleef halverwege in de lucht hangen. Hij keek haar aan.

‘Nou…’ Hij schraapte zijn keel. ‘Nu je het er toch over hebt…’

Hij vertelde alles. Dat hij de reclame van Freetones had gezien en écht had geloofd dat het gratis was, dat hij iedere week een paar nieuwe liedjes toegezonden had gekregen en had gedacht dat als hij er niet om vroeg, hij er sowieso niet voor hoefde te betalen.

Mam luisterde met een diepe frons op haar voorhoofd.

Hij ging verder, vertelde dat David en Chiarra hem hadden geholpen bij het stopzetten van het abonnement en ten slotte haalde Sven de verfrommelde rekening uit zijn tas, waar hij hem in verstopt had.

Mam bestudeerde de rekening. ‘Tja, dat is een behoorlijk bedrag. En het valt me ergens ook van je tegen.’

Sven boog zijn hoofd.

‘Maar ik ben wel weer blij dat je het nu eerlijk vertelt. Alleen vind ik dat je dat bedrag zelf moet ophoesten. Dat is denk ik de beste leerschool die je kunt hebben.’

Sven knikte en slikte. 'Het spijt me. Het was stom van me, maar ik dacht echt dat het gratis was.'

'Ik begrijp het. Luister, als we nu eens iedere maand de helft van je zakgeld inhouden? Dan ben je over vijf maanden van dit bedrag af. En we spreken meteen af dat je voortaan alleen belt en sms't met je toestel en dat je voor jezelf bijhoudt voor hoeveel geld je belt en berichten stuurt. En misschien heb ik nog wel wat klusjes voor je waarmee je de schuld eerder kunt aflossen of zoiets. Zoals de auto wassen.'

Sven keek haar aan. 'We hebben helemaal geen auto!'

'Nee, wij niet. Maar Tom wel. Wie weet, mag je zijn auto wel eens poetsen. Of anders mijn fiets, ha ha! Nou, geef me een pen, dan ondertekenen we samen die code. Ik vind dat echt een heel erg goed idee.'

Anoniem ontmaskerd

Opeens zat Fleur rechtop in bed. Natuurlijk! Dat klopte er niet aan. Opgewonden keek ze op haar klok.

Half tien uur. Misschien was Kaat nog wakker. Ze zou het gewoon proberen.

HÉ! BEN JE NOG WAKKER? DAN BEL IK JE EVEN. XXX FLEUR

Ze ging weer liggen en staarde naar het schermpje van haar mobiel.

Ah! Een berichtje terug.

JA, NOG WAKKER. IK GA WEL ONDER MIJN DEKBED LIGGEN, DAN HOREN ZE ME NIET. X K

Fleur toetste snel de cijfers in en trok haar eigen dekbed ook wat verder over zich heen.

Kaat nam direct op. 'Hoi. Wat is er?' fluisterde ze.

'Ik weet wie Anoniem is,' fluisterde Fleur terug.

'Echt? Wie?'

'Carmen!'

'Huh? Waarom zou Carmen dat nou doen?' Kaats stem klonk al wat luider.

'Ssst! Niet zo hard joh, dadelijk horen je ouders je nog.'

'Nee, die zijn in het restaurant. Onze oppas is er.'

'O. Het is Carmen. Ze zei namelijk dat Roos gedreigd had je pijn te doen. Dat stond in die eerste sms, weet je nog. Dat had jij me verteld. Maar dat heb je nooit tegen Carmen gezegd!' Fleur fluisterde opgewonden. 'Dus moet het Carmen zijn. Ik vond het al zo raar dat zij zich er in de klas mee ging bemoeien, maar nu snap ik het. Ze wilde graag dat Roos beschuldigd zou worden. Maar Roos had niet eens een mobiel en toen Carmen daarachter kwam, werd ze helemaal bleek!'

Kaat liet een lange zucht horen. 'Ja... Als je het zo zegt, klopt het allemaal wel. Jee, waarom zou ze dat nou doen?'

'Weet je nog dat ze zei dat ze moest winnen? Omdat ze dan naar het conservatorium zou mogen van haar ouders? Nou, daarom natuurlijk!'

'Jee...' Kaat klonk beduusd. 'Maar hoe komt ze dan aan mijn nummer? Dat heb ik haar nooit gegeven.'

'Op dezelfde manier als dat ik aan Svens nummer ben gekomen: door de telefoonlijst die we aan het begin bij die vrouw van Teen Star moesten invullen. Zij kreeg de lijst als laatste, weet je nog? En ze wist in ieder geval zeker dat jij een eigen mobiel hebt. Frederique heeft niet echt een eigen mobiel en ik had hem pas net die ochtend gekregen en moest zo'n beetje als laatste mijn nummer invullen.'

'En nu?' Kaats stem klonk nijdig.

'Simpel,' antwoordde Fleur. 'Regel acht van de code. We vertellen het, in dit geval aan meester Bas. En dan kan hij bepalen wat hij ermee gaat doen. O! Ik hoor mijn vader de trap op komen, ik moet hangen. Welterusten!' Ze drukte het toestel uit, trok het dekbed goed en sloot haar ogen.

Haar vader opende voorzichtig de deur. Fleur bleef muisstil liggen en deed of ze sliep.

'Vreemd,' mompelde hij. 'Ik hoorde toch echt een stem...' Zacht trok hij de deur weer dicht.

Wat er leuk/niet leuk is aan een mobiel...

Bloempje11 zegt: wauw, was best heftig, vond je niet?

Kaat-wjnmk-Fleur-wjnmk-Fred zegt: ja, ergens had ik wel medelijden met Carmen.

Bloempje11 zegt: nou, ik niet! vind het superlaf dat je iemand op die manier pest. dan ben je egt n slappeling!

Frettekettet zegt: ja, vind ik ook. had ze maar eerder over na moeten denken. maar ze wordt wel zwaar gestraft trouwens, niet meer mee mogen doen aan Teen Star... poeh!

Kaat-wjnmk-Fleur-wjnmk-Fred zegt: ja, hadden haar ouders bedacht. omdat ze mij eruit wilde werken, mag ze nu zelf niet meer meedoen. maar volgend jaar weer wel. nou ja, één concurrent minder, zullen we maar zeggen. want ze was best goed op de piano.

Bloempje11 zegt: mn ouders hebben de code al ondertekend. pap heeft m gekopieerd, zodat we m allebei hebben.

Kaat-wjnmk-Fleur-wjnmk-Fred zegt: die van mij ook. ze waren errug geschrokken van het pesten. wisten niet dat zoiets ook kon. hebben daarna heel gesprek gehad. over cyberpesten en zo. dat je ook via de cmptr gepest kunt worden op MSN of Hyves ofzo. En natuurlijk via je mobiel

Bloempje11 zegt: of kijk naar wat Tijn en zijn vriendjes bij Sven hadden gedaan! ook niet normaal zoiets!

Frettekettet zegt: mijn zus heeft ook wel eens zoiets meegemaakt. dat iemand een foto van haar maakte terwijl ze dat niet wilde en toen op internet zette. iemand had onder haar schoolbank een foto gemaakt waardoor je haar onderbroek zag... en later werd dat dus op iemands site gezet...

Bloempje11 zegt: NEE!!!!! EGT????? maar da's afgrijselijk!!! dat zoiets kan!

Kaat-wjnmk-Fleur-wjnmk-Fred zegt: belachelijk!!! alleen al om die reden moet er een verbod op mobieltjes komen in de klas! en toen?

Frettekettet zegt: geloof dat mn ouders contact hebben gezocht met de internetprovider en hebben gevraagd of de foto verwijderd kon worden. zoiets, brrr. moet r niet aan denken!

Bloempje11 zegt: en tog ben ik superblij met mn mobiel! want je kunt er zooooo veel leuke dingen mee doen! elkaar berichtjes sturen,

Kaat-wjnmk-Fleur-wjnmk-Fred zegt: bellen dat je wat later bent,

Bloempje11 zegt: bellen dat je wat eerder bent! ha ha!

Frettekettet zegt: een foto maken van dat leuke jurkje dat je gezien hebt en dan thuis laten zien aan je ouders!

Bloempje11 zegt: of een foto dat je dat jurkje aanhebt! en dan doorsturen naar je ouders en vragen of je het mag hebben!

Kaat-wjnmk-Fleur-wjnmk-Fred zegt: als er iets engs gebeurt, naar huis bellen voor hulp...

Frettekettet zegt: elkaar sms'en dat je op MSN komt. hoef je niet eindeloos te wachten!

Bloempje11 zegt: muziek luisteren via de mp3-functie!

Frettekettet zegt: de score bij hockey doorgeven of als je geen zin hebt om iemand te spreken, hem of haar via sms feliciteren. HIEP HIEP

Bloempje11 zegt: zie je! superveel leuke dingen! ga nu douchen, daarna lekker tv-kijken met mn moeder. zie jullie morgen! xxx

De kwartfinales

Sven slikte even toen hij die zaterdag vanachter het gordijn het publiek zag. Misschien wel vijfhonderd mensen! Of duizend! Of een paar duizend. Dit theater was groter dan dat van de eerste auditieronde en er konden meer mensen in. En voor al die mensen moest hij zo meteen optreden... Zijn maag borrelde.

'Jee...'

Fleur, Kaat en Frederique kwamen naast hem staan.

'Wat een hoop mensen.'

Hij hoorde aan haar stem dat Fleur minstens zo zenuwachtig was als hij.

'En dan kun je het ook nog via internet volgen,' zei Kaat en ze plukte nerveus aan een haarpunt. 'Dat zijn nog eens een miljoen kijkers.'

'Welnee!' Frederique leek als enige weinig last te hebben van het publiek. 'Er kijken echt geen miljoenen mensen! En zo ja, wat dan nog? Je wilt beroemd worden of niet.'

'Zo beroemd hoeft nou ook weer niet,' bromde Sven. Hij keek of hij zijn moeder, Eva en Tom zag zitten. Ja, daar! Op de vijfde rij. Gelukkig. Als hij nou maar naar mam bleef kijken tijdens het optreden, dan zou hij de rest niet zien en minder nerveus zijn. Ze had die middag gevraagd of hij er bezwaar tegen zou hebben als Tom meekwam en eigenlijk had hij het best gevonden. 'En Tom wil ons daarna graag mee uit eten nemen!' had ze gezegd. 'En omdat jij moet optreden, mag jij bepalen waar.'

Sven had niet zeker geweten of hij dat nou een sympathiek of een slijmerig gebaar vond.

'O! Voor ik het vergeet...' Fleur diepte haar mobiel op uit haar tas. 'Sven, wil jij een foto van ons drieën maken? Die stuur ik naar mijn oma, dat had ik haar beloofd. Ze weet helemaal niet hoe ze met internet moet omgaan en zo kan ze toch zien hoe wij er nu uitzien.'

Sven maakte twee foto's. 'Kun je er ook een van mij maken? En die dan weer doorsturen naar mijn mobiel?' vroeg hij.

Yes! Fleur bedacht dat zíj dan ook een foto van hem zou hebben op haar mobiel, waar ze zo vaak naar kon kijken als ze wilde! Misschien was vandaag wel een goede dag om hem te vertellen dat ze hem toch wel erg leuk vond...

Ze had de foto net gemaakt toen ze de gevreesde stem hoorde.

'Hé, Sven!'

'O. Hoi, Merel.' Sven hief zijn hand op.

Merel raakte even zijn arm aan. 'Veel succes straks. Enne... als ik win zal ik het niet de rest van je leven onder je neus wrijven.' Ze glimlachte plagerig. 'Alleen maar tot aan de vakantie. Daarna zal ik ermee stoppen!'

'Ik weet helemaal nog niet of ik wel meega op die vakantie,' mompelde Sven ongemakkelijk. Zeker niet na de ruzie met zijn vader.

'Tuurlijk wel! Je laat je toch geen vakantie door je neus boren? Nou, succes, en jullie ook, meiden. GRLZ was het toch? Was best aardig, hoor. Toedeloe!' Merel draaide zich om op haar hoge hakken en liep weg.

Fleur voelde hoe haar maag samentrok. Dit was geen goede dag om Sven te vertellen dat ze hem leuk vond. Het was overduidelijk dat hij en Merel iets hadden, ze gingen zelfs samen op vakantie. Ze werd misselijk alleen al bij de gedachte dat Sven en Merel achter haar rug misschien wel om haar moesten lachen, om haar stomme verliefdheid!

Er kwam een vrouw vanachter de coulissen vandaan. 'Zijn jullie GRLZ? Kom maar mee, jullie moeten na het volgende nummer.'

Sven pakte Fleurs arm even vast. 'Succes! Ik hoop dat je doorgaat.' Hij keek haar aan en werd een beetje rood. 'Dat we samen doorgaan en, nou ja... misschien wil je een keer mee wat drinken of zo? Lust je milkshakes? Of gewoon komen kijken bij de voetbaltraining of...'

Fleur kon haar oren niet geloven. Eerst met die Merel over een gezamenlijke vakantie praten en nu haar vragen om iets samen te gaan doen! Wat dacht hij wel niet!? Dat ze geen trots had of zo? Geïrriteerd trok ze haar arm weg en draaide zich om. 'Sorry hoor, daar heb ik allemaal geen zin in met jou!' Boos liep ze weg, Sven verbijsterd achterlatend.

Eindeloos wachten

'Toch wel erg veel mensen,' zei Frederique zacht, terwijl ze het podium betraden.

Het publiek klapte. Iemand joelde hard. Fleur probeerde te zien of ze haar ouders kon ontdekken, maar de lichten die op GRLZ gericht waren, brandden zo fel dat ze helemaal niets van het publiek zag. Misschien maar beter ook.

'Welkom! Dus jullie zijn GRLZ,' zei de presentator. Hij was een lokale televisiebekendheid.

'En waarom wilden jullie graag meedoen aan Teen Star?' Hij hield een microfoon bij Kaats mond.

'Eh, nou gewoon. Omdat Teen Star leuk is. En omdat het super is om in zo'n show te winnen.' Kaat stamelde nerveus.

'Nou, deze drie leuke kandidaten moeten toch een heel eind kunnen komen! Dames en heren, geef ze een daverend applaus: GRLZ!'

De lichten doofden, de spots gingen aan. Het geklets, geklap en gefluister in het publiek verstomde. De muziek begon en Fleur stapte naar links, tweemaal naar rechts, ze boog haar armen, precies zoals ze geoefend hadden. Ze pakte de microfoon en begon te zingen, samen met Kaat en Frederique.

'You're my dream boy,' zong Fleur.

'Dream toy,' zong Kaat. Ze keek geschrokken naar Fleur.

Die knipoogde. Wat maakte het uit, een woordje dat net even anders was.

Links, rechts, een draai en dan de armen strak langs hun lichaam. Het laatste refrein. Het zat erop! En het was perfect gegaan! Opgelucht omhelsden de drie meiden elkaar op het podium, terwijl het licht weer aanging en het publiek klapte. Ergens riepen een paar kinderen: 'GRLZ! GRLZ!'

Fleur voelde een brok in haar keel en fluisterde in Kaats haar: 'Het ging super!'

'Meiden, meiden, wat een spetterend optreden!' riep de presentator en hij betrad het podium weer. 'Vond u ook niet, dames en heren?'

Weer klapte het publiek, en Frederique, Kaat en Fleur keken grijnzend de zaal in.

'En nu maar wachten natuurlijk,' zei de presentator. 'Er zijn nog meer acts en de jury beslist straks pas. Dus jullie mogen naar beneden, en dan wordt het nagelbijten en ijsberen. GRLZ!'

Na hen moest Sven. Fleur negeerde hem in het voorbijgaan.

Kaat stootte haar aan. 'Wat heb jij?!' siste ze tegen Fleur, maar die haalde haar schouders op.

'Niks. Ik... ik ben gewoon niet meer verliefd op hem. Da's alles. Sven is helemaal niet zo leuk als hij leek. Hij is onbetrouwbaar en achterbaks!'

Frederique en Kaat keken elkaar verbaasd aan.

'Begrijp jij het nog?' vroeg Kaat.

Frederique schudde haar hoofd.

Het wachten op de uitslag leek eindeloos te duren. Fleur probeerde wat te lezen, Kaat staarde al zeker twintig minuten naar een sudokupuzzel, Sven liep nerveus op en neer en Frederique luisterde naar haar mp3-speler.

'Pfff, wat duurt dat lang!' zei het meisje naast Fleur.

Fleur keek op van haar boek. Ze kende het meisje ergens van.

Het meisje stak haar hand uit. 'Ik ben Rozella. En jij? Jullie waren goed, zeg! GRLZ toch?'

'Ja. Maar jij was ook supergoed! Zing je al lang?' Fleur sloeg haar boek dicht. Vanavond had ze Rozella – ze herkende haar nu van vorige week – de allerbeste gevonden.

'Al zolang ik me kan herinneren. Mijn moeder zegt dat ik in de wieg al neuriede!' Rozella lachte.

Natuurlijk was Rozella door. De jury van Teen Star en alle internetstemmers hadden haar de meeste punten gegeven. Ook Sv& en Mei en Lelie Huey Lin waren door. Er was nu nog één plek over.

'En dan nu...' zei de presentator. 'De laatste plaats voor de halve finale gaat naar...' Hij pakte de envelop en maakte hem open.

Fleur, Kaat en Frederique hadden elkaars handen vast en knepen hard.

Bye bye Teen Star...

'Alsjeblieft, laten wij door zijn naar de halve finale,' mompelde Kaat met haar ogen dicht. Fleur slikte zenuwachtig.

'Merel!' riep de presentator en de hele zaal begon te klappen en te juichen.

Fleur, Kaat en Frederique keken elkaar zwijgend aan.

'Shit,' floepte Fleur eruit. Haar keel voelde dik aan, alsof er watjes in zaten. Ze slikte en kuchte.

'Dat is balen,' zei Kaat en ze keek verbijsterd naar de andere twee.

Merel was hen hard voorbijgelopen om het podium op te gaan. Fleur hoorde hoe de zaal juichte.

'Dit zijn dan onze halve finalisten! Graag tot volgende week, wanneer we weer een stapje dichter bij de nieuwe Teen Star zullen komen.'

Het publiek applaudisseerde en het doek ging dicht. Er klonk een hoop kabaal. Toeschouwers die opstonden en al pratend en lachend naar de uitgang liepen, de opgewonden stemmen van de kinderen die door waren naar de volgende ronde. Het gehuil van één meisje dat niet door was en getroost werd door haar vriendinnen, de technische mensen die meteen begonnen met het opruimen van de camera's.

'Nou,' zuchtte Frederique teleurgesteld. 'Dat was het dan. Bye bye Teen Star...'

'Ja, balen.' Fleur keek op toen Sven hen passeerde.

Hij bleef even staan. 'Wat jammer,' zei hij en hij keek haar aan. 'Jullie waren echt erg goed vanavond.'

'Sven! Hé, Sven!' Op dat moment kwam Merel van het podium af. 'Gefeliciteerd! Zitten we er nog steeds samen in.' Ze keek naar Fleur. 'Jammer joh, dat jullie niet door zijn. Maar ja, er kan er uiteindelijk maar een de beste zijn.' Merel stak haar hand op. 'Toedeloe. Ik ga m'n moeder zoeken. Sven, ik geloof dat ze jou ook graag wil feliciteren, kom je ons nog even opzoeken in de foyer?' Merel wiegde weg op haar hoge hakken.

Fleur beet op haar lip.

'Fleur!' Mama kwam het toneel op gelopen, samen met de moeder van Frederique.

De ouders van Kaat waren niet geweest, wist Fleur, omdat ze het restaurant niet onbemand achter konden laten. Daar had Kaat enorm van gebaald en Fleur was dankbaar geweest dat haar ouders tenminste wel kwamen.

'Hé, meisjes toch,' zei mam en ze pakte hen alle drie even vast. 'Wat ontzettend jammer! Ik had het zo leuk voor jullie gevonden als jullie door waren gegaan.'

Frederiques moeder gaf ieder van hen een bos rozen. 'Die hebben jullie verdiend. Wat waren jullie goed, zeg!'

Fleur voelde tranen in haar ogen prikken. 'Ik vind het ook jammer,' fluisterde ze, toen haar moeder haar nog een keer omhelsde. Ze zou willen dat ze nu even helemaal alleen met haar moeder was, met niemand anders erbij.

'En Sven, gefeliciteerd hoor, dat je door bent. Helemaal terecht. Wat kun jij de sterren van de hemel spelen!' Mama keek hem aan en lachte. 'Je ouders zullen wel trots zijn!'

Sven haalde zijn schouders op. 'Vast wel, ja. Nou, ik ga maar eens. Mijn moeder zou bij de ingang wachten.'

'En vergeet Merel niet!' bitste Fleur opeens. 'Misschien wil zij wel een milkshake met je gaan drinken.'

Sven keek haar vragend aan, haalde toen zijn schouders op en liep weg.

Meiden. Hij zou ze nooit begrijpen. En van Fleur Flower begreep hij helemaal niets meer.

Stiefzus

Kaat-wjnmk-Fleur-wjnmk-Fred zegt: heb er nog eens over nagedagt. misgien is het niet zo errug dat we niet meer meedoen...
Bloempje11 zegt: nou, ik vind het anders helemaal nix leuk.
Kaat-wjnmk-Fleur-wjnmk-Fred zegt: weet ik wel, ik ook niet, maar nu hoeven we niet meer steeds in spanning te zitten, en laten we eerlijk zijn: we waren nooit nummer 1 geworden! dat wordt die Rozella of zo, denk ik.
Bloempje11 zegt: ja, is waar. als die Merel maar niet de Teen Star wordt! grrrrr!
Kaat-wjnmk-Fleur-wjnmk-Fred zegt: maar ik dagt dat je svn tog niet meer leuk vond?????
Bloempje11 zegt: weet niet meer wat ik van m vind.
Davidio12 meldt zich aan.
Davidio12 zegt: ha dames!
Bloempje11 zegt: hoi.
Kaat-wjnmk-Fleur-wjnmk-Fred zegt: hey!
Davidio12 zegt: jammer dat jullie niet door zijn. zijn er zeker wel ziek van? wel leuk dat Sven door is.
Kaat-wjnmk-Fleur-wjnmk-Fred zegt: ag, zo errug is t ook weer niet. was leuk om mee te doen.
Davidio12 zegt: is ook zo. sgeelt wel in het stemmen per telefoon volgende keer. anders had ik zowel op jullie als op Sven moeten stemmen. nu alleen op Sven. want ga natuurlijk niet op zn stiefzus stemmen!
Kaat-wjnmk-Fleur-wjnmk-Fred zegt: zn wie?????
Bloempje11 zegt: zn wat?????

Natuurlijk kon ze die nacht niet slapen. Ze schaamde zich dood en dacht aan hoe ze tegen Sven had gedaan na de kwartfinales. En nu bleek dus dat die Merel helemaal niet zijn vriendinnetje was, maar zijn stiefzus. Fleur kreunde en trok het dekbed over zich heen. Ze was niet bepaald erg aardig geweest tegen hem de laatste keer. Ze beet op haar lip. Dat moest ze natuurlijk wel goedmaken.

Ja! Dat was het! Als ze nu eens iedereen optrommelde om op Sven te stemmen volgende week bij de halve finales! Zo kon ze haar botte gedrag toch nog een beetje goedmaken. Vast wel! Misschien. Hopelijk...

Stem op Sv&!

Bloempje11 zegt: ...dus je moet wel op hem stemmen, hoor! na dat modderincident moet je Sven nu gewoon steunen.

TijnisFijn14 zegt: zal wel 1 krtje stemmen

Davidio12 zegt: als ik de mobiel van mn zus mag lenen, ga ik ook stemmen ntrlijk!

Fretteketet zegt: ...en je kunt er vette prijzen mee winnen als je stemt!

Davidio12 zegt: egt? misgien win ik wel een mobiel dan! eindelijk. nog vier maanden krantenwijk en dan heb ik er ook 1!

Bloempje11 zegt: je wint tog niet, maar we moeten Sv& steunen! kun je niet al je vrnden vragen ook op Sv& te stemmen? Tijn, jij ook?

TijnisFijn14 zegt: heb je zo weinig vertrouwen in zijn optreden??? d'r zit tog ook n jury??? maar goed, misgien klinkt die sax wel zooooo...

Bloempje11 zegt: Tijn, wat ben je toch een muis.

Fretteketet zegt: doen jullie ook wel eens iets anders dan ruziemaken? gezellig bij jullie...

TijnisFijn14 zegt: 't is hier supergezellig! en nee, we maken niet ALTIJD ruzie. van 21.00 tot 07.00 slaap ik namelijk... ☺

Halve finale

'Hier is het,' zei Tom en hij draaide de auto een garagedek op. 'Studio 23. Groot, zeg! En waar moet je nu heen, Sven?'

Sven keek naar het immense gebouw en werd opeens misselijk. Hij klemde de koffer van zijn saxofoon dichter tegen zich aan. Mam knipoogde bemoedigend naar hem.

'We zouden binnen worden opgevangen door een gastvrouw,' piepte hij. Bleek stapte hij de auto uit. Om hen heen liepen allemaal mensen en kinderen, met en zonder muziekinstrumenten, sommige al in hun kostuum. In de verte zag hij Rozella lopen en hij zwaaide terug toen die haar hand naar hem opstak.

'Klaar?' vroeg mam opeens zacht. 'Joh, dit maak je misschien nooit meer mee, dus geniet er nou maar van. En je gaat straks gewoon je best doen, meer kun je niet doen. Heb je alles bij je? Je kleding? Reservemondstuk? Mobiel om me te bellen als er iets is?'

Sven knikte.

'Weet je, schat? Het maakt eigenlijk niet uit of je naar de finale gaat. Voor mij heb je al gewonnen. Je moet gewoon van vanavond genieten. Kom, haal even diep adem.'

Sven keek haar dankbaar aan. Hij ademde diep in, kneep in zijn moeders hand en zei toen: 'Oké.' Hij wees naar Eva's rugzak. 'Wat zit daar toch allemaal in?'

Eva keek naar mam en Tom en ze grijnsde. 'Dat zul je wel zien!'

Alle twintig deelnemers werden opgevangen in een gezellige ruimte met drankjes en schalen vol snoep en cakejes.

'Zo, hé! Lekker! En daar mag je gewoon van pakken,' riep een jongen uit en hij nam een stukje cake.

Sven grinnikte.

Merel kwam ook aanlopen. Gek. Hij had eigenlijk een enorme

hekel aan haar, maar op dit moment was hij toch blij haar bekende gezicht te zien. Van zijn school was alleen hij nog over, samen met de zusjes Huey, maar met hen had hij weinig contact. Hij vond het wel jammer dat Fleur en haar vriendinnen niet meer meededen. De afgelopen week was Fleur steeds aardig geweest, waardoor Sven het helemaal niet meer begreep. Vorige week was ze nog zo chagrijnig tegen hem uitgevallen en nu glimlachte ze iedere keer als ze hem zag. Maar hij had het de afgelopen week veel te druk gehad om over Fleur na te denken. Hij had steeds opnieuw zijn nummer geoefend totdat hij het praktisch kon dromen. Iedere noot zat erin gestampt.

Nu kwam Merel naast hem staan. Ze wiebelde van de ene voet op de andere. 'Hoi.'

Sven knikte.

'Ik ben zó zenuwachtig. Ik bedoel, televisie! Dit komt gewoon op de televisie!'

'Daar moet je niet te lang over nadenken,' zei Sven. 'Trouwens, het is maar regionale tv. Daar kijkt lang niet iedereen naar.'

'Nou, op mijn school kijken ze allemaal.' Ze pakte een toffee van de tafel.

Sven schraapte zijn keel. 'Zeg, trouwens... Is... zijn... is je moeder er ook?'

'Ja, en als je wilt weten of je vader er is: ja, die is er ook.'

Sven haalde zijn schouders op. 'Dat vroeg ik niet.'

'Maar dat wilde je wel weten. Sinds jullie ruzie... Nou ja, er zijn wel dingen veranderd. Wist je dat hij een paar dagen in een hotel heeft gezeten?'

'Nee.' Sven schudde zijn hoofd. 'Waarom?'

'Ach, na die ruzie met jou kregen hij en mijn moeder ook ruzie.' Merel maakte een propje van het toffeepapiertje en schoot het weg. 'Over de verdeling van de kamers en zo. Toen is hij een paar dagen weg geweest. Om na te denken. Nu is hij weer terug, maar er is toch iets veranderd.' Ze haalde haar schouders op. 'Nou ja, ze zoeken het maar uit. Ik hoop alleen dat mijn moeders hart niet weer breekt... Mijn echte vader is hertrouwd en we hebben geen contact meer met hem. Nou ja, nauwelijks dan. Hij woont aan de andere kant van het land en volgens mij vindt hij mij en Sam alleen maar erg lastig. Jouw vader... ach, hij is zo slecht nog niet. Hij heeft je de afgelopen weken echt gemist, denk ik. Hij zit hier tenminste, die van mij niet.'

Sven dacht koortsachtig na. Zijn vader in een hotel? Daar had Eva niets over gezegd. Zij was in de weekenden steeds gewoon naar hun vader gegaan. Aan de andere kant: hij had er ook niets over willen horen, over die weekenden. Zijn vader zat dan nu wel in de zaal, maar voor wie eigenlijk? Voor Merel of toch voor hém?

Sven werd uit zijn gedachten gehaald door een gong. Het geroezemoes hield op, alle ogen waren gericht op de vrouw die nu voor de groep stond.

'Welkom,' zei ze. 'Zo direct worden jullie allemaal naar de verschillende kleedruimtes gebracht en dan word je ook geschminkt. Dat is nodig zodat je er op televisie goed uitziet; onder die felle lampen zouden jullie anders erg bleek zijn. Daarna beginnen de optredens. Omdat er nog twintig acts zijn, moeten we flink op de tijd letten. Je krijgt dus van één jurylid te horen wat de jury ervan vond en daarna moet je het podium af. Het wordt een lange show, maar tussendoor krijgen jullie wel wat te drinken, hoor. Na je act en de jury mag je namelijk even achter de coulissen wat drinken en eten, en dan ga je weer in de deelnemersruimte zitten bij de anderen. Daar zal de camera niet komen, want dat kost te veel tijd. In de kleedkamers hangt de volgorde van de optredens, kijk daar goed naar. Je wordt vanzelf gehaald als je klaar moet gaan staan. Na de show mogen de kijkers een kwartier stemmen. De tien acts met de meeste stemmen gaan door naar de finale. Hebben jullie er een beetje zin in?'

Iedereen joelde hard.

'Dan stel ik jullie eerst maar even voor aan de presentatoren,' lachte de vrouw. 'Wanda Glamour en Johnny James!'

Naast Sven hapte Merel naar adem. Wanda Glamour en Johnny James waren dé grote sterren op dit moment. Iedereen begon te klappen en te juichen toen ze samen de zaal binnentraden.

'Dit is zo ontzettend gaaf,' fluisterde Merel. 'Dit verzin je toch niet? Wij staan hier gewoon op een zaterdagavond met Wanda en Johnny! Dit móét ik even naar mijn vriendinnen sms'en, die zitten in de zaal. Nee, wacht. Ik maak een foto en dan stuur ik die door.' Merel hield haar toestel omhoog en maakte een paar foto's. 'Wil je er straks een van mij met hen maken, please?' Ze stootte Sven opgewonden aan.

'Goed, dan moeten we nu van start,' zei de vrouw. 'Over twintig minuten begint de show en de eerste kandidaat moet over dertig minuten optreden!'

De optredens begonnen; een meisje met een dansact moest als eerste.

Sven pakte ondertussen zijn instrument en poetste de saxofoon voor de zoveelste keer op. Hij trok zijn shirt recht en keek even in de spiegel. Niet slecht. Er zat make-up op zijn gezicht, wat hij belachelijk had gevonden, maar de visagist had hem verzekerd dat je daar niets meer van zag als je eenmaal op het podium stond.

Sven had even stiekem tussen de coulissen gespiekt. De hele klas zat er zo'n beetje, inclusief meester Bas en zijn vrouw. Fleur zat vooraan, zag hij. Hij keek of hij zijn moeder zag. O ja, daar op het eerste balkon! Fijn, dan zou hij tijdens het optreden zijn blik op haar gericht houden.

'Merel de Vries?' riep een stem. 'Jij bent na het volgende nummer. Kom alvast mee zodat je opgesteld staat.'

Sven zag dat Merel rood werd. Ze haalde diep adem.

Sven stak zijn duim omhoog. 'Succes.'

'Jij ook.' Merel rechtte haar rug en liep weg.

Haar optreden ging erg goed, vond Sven. Niet één valse noot en het publiek was dan ook erg enthousiast.

'Sv&? Jij bent na de volgende act, ga maar alvast mee,' zei dezelfde man die ook Merel opgehaald had uit de deelnemersruimte. Daar was het druk en warm, en overal lagen tijdschriften, lege bekers, truien en snoepwikkels op de grond. De meeste deelnemers zaten stil naar een televisiemonitor te kijken, waarop ze konden volgen wat er op het podium gebeurde. Alleen de deelnemers die al opgetreden hadden, waren wat luidruchtiger. Opgelucht, of juist teleurgesteld in zichzelf.

Sven werd tussen de gordijnen gezet, op een strategische plek waar niemand hem nog kon zien, maar waar hij al wel de zaal in kon kijken. Wat een publiek! Hij zag opeens een spandoek en begon te lachen.

!Go Sv& Go!

Hij ging een beetje op zijn tenen staan om te zien wie het doek vasthield en zag tot zijn verbazing dat het Eva was, die apetrots stond te kijken. En kijk! Daar vooraan, waar zijn klas zat, werd ook een spandoek opengevouwen. Fleur hield één kant vast en David de andere. **Stem op Sv&!** stond erop. Grinnikend pakte hij zijn instrument beet en toen het tijd was, liep hij met opgeheven hoofd het podium op.

Berichtjes

'Kom op, we gaan bij de rest zitten!' Sven pakte zijn saxofoon en liep voorop. Merel was op hem blijven wachten tussen de gordijnen. Nu liepen ze samen naar de deelnemersruimte. Sven werd door een paar kinderen gefeliciteerd met zijn optreden.

'Goed, man!'

'Ik wou dat ik zo kon spelen...' verzuchtte een meisje dat een zangact had.

'Jij wordt later vast beroemd!'

'Je kunt bij ons in de band komen spelen,' riep een jongen en hij wees op zijn vrienden.

Sven grijnsde opgelucht. Het was goed gegaan. Heel goed zelfs.

Er stond een groot televisiescherm, zodat ze de show ook gewoon op tv konden kijken.

'Hoe zag het eruit?' vroeg Merel aan Rozella. Die moest als laatste vanavond.

'Echt heel erg goed!' Rozella keek haar stralend aan. 'Wat is dit toch geweldig, hè? En wat is Johnny James toch een snoepje, vind je niet?'

Merel knikte lachend.

Sven deed zijn saxofoon in de koffer. Zijn mobiel had hij daar tijdens het optreden even in gelegd. Hij zag een klein envelopje op het scherm.

Twee berichtjes.

Het eerste was van mam.

LIEVERD, WAT WAS HET SUPER! IK GA OP JE STEMMEN, HOOR! TOM OOK EN EVA MAG OOK EEN KEER STEMMEN. TOT STRAKS, MAM XXX

Het tweede, zag Sven, was van zijn vader. Hij beet op zijn lip. Tot nu toe had hij steeds de berichtjes van zijn vader ongeopend verwijderd.

Nu twijfelde hij.

Na een paar tellen drukte Sven op een knop en het bericht werd geopend.

LIEVE SVEN. IK HOOP DAT JE DIT LEEST. IK ZIT IN DE ZAAL EN IK HEB GENOTEN VAN JE OPTREDEN. NOOIT GEWETEN DAT JIJ ZO VEEL TALENT HEBT! HET SPIJT ME VAN DAT OEFENEN EN DIE RUZIE, DAAR MOETEN WE NOG EENS GOED OVER PRATEN. MAAR VANAVOND MOET JIJ VOORAL GENIETEN VAN JE OPTREDEN EN JE SUC6. IK GELOOF IN JE EN IK HOU VAN JE. PAPA

Met een brok in zijn keel legde Sven zijn toestel weg.

Fleurs vingers begonnen pijn te doen van het indrukken van de knopjes. Zo. Alweer een stem uitgebracht per sms! Voor Sven. Alweer. Ze moest een beetje lachen. De andere acht keren had ze ook al op hem gestemd, net als Kaat. Frederique had haar gezinsmobiel niet bij zich en kon niet stemmen.

'Ach, da's niet erg. Fleur stemt zó vaak op Sven, dat de lijnen overbelast raken,' plaagde Frederique. 'Bovendien, dat stemmen kost ook geld. En dat hou ik liever in mijn zak.'

Nog maar vier minuten om te stemmen. Ach, dacht Fleur, eentje nog voor Sven. Ze wilde het berichtje net versturen, toen ze zelf een berichtje kreeg.

U HEEFT ÉÉN VOICEMAILBERICHT.

'U heeft één nieuw bericht,' zei de stem. *'Vandaag ontvangen om 21.43 uur. Nieuw bericht. Uw beltegoed is onvoldoende om nieuwe berichten te versturen of te bellen. Einde bericht.'*

Ontgoocheld keek Fleur naar haar mobiel. Verdorie! En ze kon nu natuurlijk geen nieuw tegoed kopen. Stom ook eigenlijk, bedacht ze, want ze had het kunnen weten. Al dat stemmen via sms kostte gewoon geld natuurlijk, ook al leek het zo verleidelijk om het steeds maar weer te doen. Ze stopte haar mobiel zuchtend in haar tas. Frederique had haar nog gewaarschuwd.

'Nog één minuut en dan sluiten de lijnen!' riep Wanda Glamour op het toneel in de richting van de camera. 'Dus wees er nog snel bij als je thuis op je favoriet wilt stemmen. We gaan aftellen tot de lijnen sluiten. Vijf, vier, drie, twee, één! U kunt niet meer stemmen. Dat betekent dat wij op dit moment al weten welke acts doorgaan naar de finale.'

Spijt

De zon piepte voorzichtig door de gordijnen. Sven opende één oog en hield het andere stijf dicht. Hij rekte zich uit en keek op de wekker. Half elf! Wauw, dan had hij echt een gat in de dag geslapen, maar het was dan ook laat geworden gisteravond. Hij gooide het dekbed van zich af en slofte naar beneden.

Eva en mam zaten net aan de ontbijttafel.

Mam grijnsde. 'Daar hebben we onze winnaar! Lekker geslapen?'

Sven knikte en ging zitten.

Mam legde een croissantje op zijn bord. 'Hier, nog lekker warm.'

'Dus nou ga jij naar de finale?' vroeg Eva en ze nam een slok melk.

'Jep!' Sven grijnsde.

'Je was ook zó goed!' Mam deed suiker in haar thee.

Sven dacht terug aan de vorige avond. Hij was de derde geweest die doorging naar de finale en natuurlijk was hij daar ongelooflijk blij mee geweest!

'...en die laatste finaleplaats is voor...' Wanda Glamour was even stilgevallen en had de deelnemers aangekeken. 'Rozella! Gefeliciteerd, alle finalisten zijn nu bekend!' Het publiek was in luid applaus losgebarsten.

Merel was niet door. Ze had op haar lip gebeten en daarna met waterige ogen naar Sven geglimlacht. ''t Is niet zo erg,' had ze zacht gezegd en ze had haar rug gerecht. 'School begon eronder te lijden en m'n moeder was daar niet blij mee.'

'Toch jammer,' was alles wat Sven had kunnen bedenken. En het gekke was: hij meende het. Het was eigenlijk best fijn geweest om er iemand bij te hebben die hij kende, en zó monsterachtig was Merel nou ook weer niet. Eigenlijk was ze best oké, behalve dan dat haar moeder en zijn vader samenwoonden. Maar daar kon Merel net zomin iets aan doen als hij.

Hij nam een hap van zijn croissant en dacht aan zijn vader. Die had na de show opeens voor zijn neus gestaan. Zónder Anouk en Sam, die bij Merel waren gebleven.

Zijn vader was rechtstreeks naar hem toe gelopen. 'Sven!'

Sven had zich omgedraaid toen hij de bekende stem hoorde en had gezien hoe zijn vader op hem af was gekomen, met op zijn gezicht een mengeling van trots en onzekerheid.

'Sven, wat was je goed! Gefeliciteerd! Dat heb je helemaal verdiend.' Zijn vader was voor hem komen staan. Even had hij getwijfeld, toen had hij Sven omhelsd.

Sven had van alles gevoeld. Verdriet, blijdschap, opluchting. En zonder dat hij het wilde, waren er tranen over zijn gezicht gerold.

'Het spijt me zo, Sven.' Zijn vader was hem stevig blijven vasthouden. 'Van alles. Hoeveel pijn de scheiding jullie heeft gedaan, hoe snel ik jullie met Anouk, Merel en Sam heb geconfronteerd, hoe jullie het gevoel kregen dat je niet welkom was. En het spijt me vooral van die ruzie laatst. Ik heb er niet bij stil willen staan hoeveel verdriet jullie moeten hebben gehad. Maar ik besef het nu. En samen komen we daar wel uit. Ik mis je, Sven. Ik hoop dat je volgende week weer eens een keer bij me wilt zijn. Niet eens een heel weekend, misschien kom je gewoon eten. Als je wilt, hoef je niet naar Anouks huis te komen, ik kan je ook ergens anders ontmoeten, we zouden naar de dierentuin of de bioscoop of...'

Sven had zich losgemaakt uit de omhelzing en met tranen in zijn ogen naar zijn vader gekeken. 'Dat hoeft niet. Ik kom wel gewoon naar jullie.'

Zijn vader knikte opgelucht. 'Anouk en ik... Nou, het ging inderdaad allemaal te vlug. Dus we hebben besloten dat we samen een groot huis gaan zoeken, een huis waarin jij en Eva allebei een eigen kamer zullen hebben, met eigen spullen die je er altijd kunt laten staan. We hebben zelfs al iets gezien, misschien kun je dit weekend mee gaan kijken. En het is zelfs nog dichter in de buurt van jullie huis, dus je kunt langskomen wanneer je wilt.'

Op dat moment waren Eva, mam en Tom aan komen lopen.

'Sven!' Eva had gegild. 'Papa!'

Zijn moeder had even haar pas ingehouden toen ze pap had gezien en daarna was ze toch naar Sven gelopen en had hem omhelsd. 'Je was geweldig! Een echte ster, het was echt helemaal...'

'...te wauw!' had Tom lachend gezegd en hij had hem op zijn schouder geslagen. 'Geweldig, Sven.'

Sven had gezien hoe zijn vader naar zijn moeder had gekeken, alsof hij haar voor het eerst zag. Ze zág er ook anders uit. Ze had haar haren laten knippen, ze droeg vlotte nieuwe kleding en ze straalde.

'Tom, dit is mijn ex-man,' had zijn moeder gezegd en ze had de twee mannen aan elkaar voorgesteld.

Na een paar minuten beleefde conversatie met Tom was zijn vader vertrokken. Maar niet vóórdat hij met Sven had afgesproken om aanstaande woensdagavond samen naar de voetbalwedstrijd te gaan.

'Fijn dat alles weer goedkomt tussen jou en papa,' zei mam nu en ze schonk zijn melk bij. 'Hij was vast zó trots op je gisteren. Het was de eerste keer dat hij je hoorde spelen. En je hebt iedereen van je school letterlijk omvergeblazen met je talent! Nu is er vast niemand meer die je voor schut wil zetten met rare filmpjes op internet. Is dat filmpje er trouwens al af?'

'Ja.' Sven peuterde een stukje croissant tussen de brackets van zijn beugel vandaan. 'Alles is verwijderd.'

Lachend bespraken ze de show. Eva vroeg of hij het nummer nog een keer wilde spelen. En terwijl de zon door de ramen naar binnen viel, bedacht Sven dat het leven nog zo slecht niet was.

Tien dagen later...

Bloempje11 zegt: wat ontzettend balen! kon er gewoon nauwelijks van slapen! dat Sven toch de finale niet gewonnen heeft!

Frettekettet zegt: ik heb anders heerlijk geslapen! het was toch prima zo? hij werd vierde, nou, dat vind ik geweldig!

Bloempje11 zegt: ja, dat wel. toch jammer, was leuk geweest als mijn vriendje de nieuwe Teen Star was geworden. hij was wel onder de indruk toen hij r vorige week agter kwam dat ik zo vaak op hem gestemd had. en hij vroeg of ik morgen nog kom kijken bij voetbal, hij heeft een wedstrijd. gaan jullie mee? pleeeeeze?

Frettekettet zegt: is goed, ik ga wel mee. trouwens, Rozella is de terechte winnaar, vind ik. een echte ster! ik heb op haar gestemd.

Kaat-wjnmk-Fleur-wjnmk-Fred zegt: ja, ze is wel super. ik heb ook op haar gestemd. en Fleurtje heeft natuurlijk driehonderdachtenveertig keer op Sv& gestemd. fleur ♥ sven. is t nou verkering???

Bloempje11 zegt: weet niet. zoiets. maakt tog niet uit? het is gewoon superleuk en hij vindt mij ook SUPERDELEUKSTE!!!!! maar kon dus niet meer stemmen gister, mn beltegoed was op, weet je nog?

Kaat-wjnmk-Fleur-wjnmk-Fred zegt: ja, DODO!!!! wanneer begrijp jij nou eens dat al die dingen EUROOTJES kosten? niets is voor niets! uilskuiken! spelletjes, ringtones, stemmen per sms – kost allemaal geld! en je wint r egt geen tv mee.

Bloempje11 zegt: ha ha, wrijf t r maar weer in... maar je hebt gelijk. ik moet gewoon eignlk iedere maand een budget maken en daar niet overheen gaan. dus voor niet meer dan 5 € bellen of zo.

Frettekettet zegt: en nu? kun je dus niet meer bellen? en niet meer sms-n naar Kanjer???

Bloempje11 zegt: nee, tot ik weer zakgeld heb. over 2 weken. en dan zuinig zijn! zeg Kaat, hoe is t nou met je webcam?

Kaat-wjnmk-Fleur-wjnmk-Fred zegt: ag, doe r eignlk niet zo veel mee. kijk

alleen naar mn ouders als ze 's avonds in t restaurant zijn. dat is wel heel leuk, maar verder heeft nog bijna niemand een cam.

Frettekettet zegt: hé, hebben jullie trouwens al gehoord dat we na de vakantie n nieuwe jongen in de klas krijgen? uit Australië?

Bloempje11 zegt: die is ver van huis!

Frettekettet zegt: schijnt dat zijn ouders hier tijdelijk komen werken. lijkt me wel leuk!

Kaat-wjnmk-Fleur-wjnmk-Fred zegt: spreekt ie wel Nederlands dan?

Bloempje11 zegt: leert ie vanzelluf! lijkt me trouwens wel een mooi land om 1s heen te gaan, Australië...

Kaat-wjnmk-Fleur-wjnmk-Fred zegt: koala's!!!

Frettekettet zegt: kangoeroes!!! wombats!

Bloempje11 zegt: womwattes?

Frettekettet zegt: soort kruising tussen cavia en hangbuikzwijn.

Kaat-wjnmk-Fleur-wjnmk-Fred zegt: een buikzwijncavia! Ha ha.

Bloempje11 zegt: wat weet jij tog altijd veel, Fred! hé, zouden ze daar ook Teen Star hebben?

Kaat-wjnmk-Fleur-wjnmk-Fred zegt: vast wel! hey, komen jullie vanavond logeren??? huur ik een dvd, romantisch of horror?

Bloempje11 zegt: romantisch!!! en dan zorg ik voor brownies!

Frettekettet zegt: en ik voor sjips...

Bloempje11 zegt: ga t eerst vragen, denk dat het wel mag. bel je straks om te zeggen of t mag. doei! zoen! later! xxx

Stichting De Kinderconsument komt op voor kinderen als het gaat om internet en mobieltjes. Daarom wilden we graag meewerken aan dit boek van uitgeverij Kluitman. Nu je het verhaal hebt gelezen, vraag je je vast af wat je kunt doen om te voorkomen dat er met je mobieltje iets rampzaligs gebeurt! We geven de volgende tips:

Mobieltje of prepaid/abo kopen?
Eerst kijken, dan kopen. Bespaar flink veel geld door mobiele providers te vergelijken. Raak niet verblind omdat je een bepaald toestel leuk vindt. Kijk eerst rond. Informeer voordat je een toestel en/of abonnement koopt. Kijk op: **www.bellen.com**

Les op school over mobieltjes?
Doen! Overtuig je juf of meester dat er niets leukers bestaat dan les krijgen over mobieltjes. De Kinderconsument heeft een speciaal lespakket gemaakt: Pimp Je Foon. Het bestaat uit een werkschrift en voor elke leerling een stoer keycord. Ook voor leerlingen die geen gsm hebben zijn de lessen leuk! Meer Info en een leuke quiz vind je op **www.pimpjefoon.nl**

Les op school over media?
Er is gratis lesmateriaal over media. Vraag je leerkracht ernaar te kijken en het te downloaden! De lessen eindigen met het halen van een écht Diploma Mediawijsheid. Het materiaal is gemaakt door stichting Media Rakkers. **www.mediarakkers.nl**

Gepest via jouw mobieltje
Tip 1. Word je gepest via jouw mobieltje maar weet je niet wie dit doet? Bel de helpdesk van jouw mobiele provider. Deze vind je op de website van je mobiele provider.
Tip 2. Word je gepest via je mobieltje en weet je wie het doet? Los het niet alleen op, maar neem anderen in vertrouwen. Zoals vrienden, leerkracht, ouders. Stap samen naar de dader of zijn/haar leerkracht en ouders toe.
Tip 3. Lukt het niet om het pesten te stoppen? Laat jouw telefoonprovider het nummer van de dader blokkeren. Bel de helpdesk. Of neem desnoods een ander nummer. Geef dit nieuwe nummer

voortaan alleen aan jouw échte vrienden en vriendinnen!

Praat over pesten
Bel of chat met de Kindertelefoon: **www.kindertelefoon.nl**

Dure sms of ringtones?
Tip 1. Kijk altijd eerst waar je je op abonneert: lees de kleine lettertjes! Vaak moet je meer betalen dan je in eerste instantie denkt.
Tip 2. Ben je erin gestonken of wordt het je te duur? Zeg de sms-dienst af! **www.smsafzeggen.nl** of **www.consuwijzer.nl**
Tip 3. Lukt het niet? Klaag bij de Consuwijzer. **www.consuwijzer.nl** Of bel: 088 - 0 70 70 70
Tip 4: Meld jouw mobiele nummer aan op de site **www.smsdienstenfilter.nl** en blokkeer betaalde sms abonnementsdiensten.
Tip 5: Nóg sneller is om de tekst **FILTER AAN 5509** te sms'en aan het nummer 5509. Doen! Dit voorkomt dure sms'jes!

Mobiel internetten?
Als je op jouw mobieltje kunt internetten, bedenk dan dat dit vaak veel geld kost. Mobiel chatten, downloaden, surfen enzovoorts zijn duur. Kijk hoe je abonnement of prepaid in elkaar zit, en laat je niet verrassen door een torenhoge rekening! Vergeet nooit: alles wat je met je mobieltje doet, moet ook worden betaald.

Jouw mobieltje gestolen?
Zet altijd een wachtwoord op je mobiel. Zo kan de dief er niets mee als je mobieltje gestolen wordt. Zet je mobieltje vaak uit, want als-ie altijd aan staat, hoeft een dief ook geen wachtwoord in te tikken! Als je mobieltje gestolen is, laat dit meteen weten aan de klantenservice van jouw mobiele provider, zodat ze je nummer kunnen blokkeren. Anders belt de dief op jouw kosten...

Is jou iets naars overkomen?
Is er iets vervelends gebeurd? Ben je slachtoffer? Zoek hulp. Bel slachtofferhulp. Er is een speciale kinderwebsite: **www.ikzitindeshit.nl**